4

Cyfres Cymêrs Cymru

CYMERIADAU EIFIONYDD

MÂN BETHAU HWYLUS

WIL SAM

Gwasg Gwynedd

Argraffiad cyntaf — Tachwedd 2005

ISBN 086074 221 0

Cyhoeddwyd ac argraffwyd
gan Wasg Gwynedd, Caernarfon

Cynnwys

Droria John Jones y Betws

Na, hyd yma does gin i ddim pwt o lyfr ond mae gin i enw iddo fo, ac mae hynny'n gryn dipyn o help. Mae hynna'n f'atgoffa i o un o ferchaid dawnus Tyddyn Sianel, Jane Whittington, yn cymall cwningod yn siop D. J. Williams yng Nghricieth.

'Faint sydd gynnoch chi?' medda'r siopwr, yn llawn ei awydd i brynu.

'Does gin i 'run,' oedd atab Jane, 'ond ma Owan 'mrawd wedi gosod trapia i'w dal nhw.'

Mân Bethau Hwylus fydd yr enw os a phan ddaw'r llyfr i ola dydd. Mae o'n enw sy'n taro i'r dim i un sydd â'i feddwl ar chwâl. Y diweddar John Jones, Betws Fawr, pia fo – y Betws lle gynt y bu Robat ap Gwilym Ddu yn barddoni ac yn emynydda ar lan Afon Dwyfach. Temtasiwn braidd, hyd yn oed mor gynnar â hyn, ydi dilyn y bardd emynydd ar hyd y ddôl a chlustfeinio i geisio dal amball linell o'r 'Gwaed a redodd ar y Groes'. Er, llawar gwell gin i ydi'r emyn bychan mawr hwnnw, 'Nefoedd ar y Ddaear'. 'Nef yw i'm henaid ymhob man,' medda fo, a hawdd iawn ydi credu mai cerddad y ddôl yr oedd o pan lanwodd honna'i galon a'i ben o.

Dyna fi'n crwydro. Trio deud yr ydw i o ble dwynis i deitl y llyfr sydd ar dro. Ia, John Jones y Betws, ac mae gin i un briwsionyn bach o hawl ar ei betha fo am ei fod o – pan oedd o'n fyw, wrth reswm – yn daid i ngwraig i. Roedd gin John Jones fainc debyg i un saer yn ei weithdy ar iard y Betws, a thair drôr yn honno. Ar y gynta roedd o wedi sgwennu, mewn llythrenna breision, NYTS AND BOLTS; ar yr ail, WASHERS AND SGRIWS, ac ar y drydedd, MÂN BETHAU HWYLUS.

Ddaru mi rioed gyfarfod yr Hen Daid. Y diweddar William Jones, y Crown, Llanystumdwy, y sadlar teithiol olaf yn y Gogledd yn ôl Dr Alun Roberts, y fo ddeudodd dipyn o'i hanas o wrtha i. Os byw ac iach, ac os bydd yr arddwn yn caniatáu, caf draethu mwy am William yn y man. Digon ydi deud ar hyn o bryd y bydda'r ffarmwr, wedi i'r sadlar ddod i ben, yn comandio fel hyn: 'Dowch trwodd i'r neuadd, William Jones, inni gael setlo am arian byrion.'

Dywediad sy'n codi ei ben pan dorrwn ni gwpan neu sosar neu blât yn tŷ ni ydi 'What a piti Mr Bovril.' Asiant stad y Gwfryn oedd Bovill a galwai ar ei dro yn y Betws. Wedi iddo ddiddori ei asiant yn y tŷ, arferai John Jones ei dywys rownd y stoc a'r beudái. Roedd un o feibion y Betws, William Pierce Jones, yn un sgit am batants ac wedi rigio lantarn stabal i redag ar weiran lefn o un pen i'r beudy i'r llall. Un hwylus iawn, yn symud o fuwch i fuwch wrth odro, dim ond pwniad bach ysgafn oedd yn hen ddigon iddo atab ei ddiban. Ond mi aeth John Jones yn ormod o lanc yn ei awydd i blesio'r asiant, ac yn lle cyffwrdd yn ysgafn mi gymrodd ei ffon i roi pwniad iawn i'r lantar, a heibio pob stôl ac yn uwch ac yn uwch yr aeth hi nes cyrradd y parad pella yn dipia degins.

Ia, 'Wele batants Wili Betws'. Dydw i ddim yn siŵr pwy

bia'r dywediad, ond synnwn i'r un hadan mai y fo ei hun pia fo. Roedd o wrth ei fodd efo'r rheina. Rydan ni i gyd yn reit gyfarwydd â 'Dylai pawb gael *Daily Post*'. Mae'n eitha posib bod amal un wedi'i ddeud o am y tro cynta, ond cyn bellad â bod Eifionydd yn y cwestiwn, roedd Dafydd Trefor Roberts, siop bapura newyddion yng Nghricieth, yn bendant iawn mai gŵr y Betws Fawr oedd pia fo, ac mai wrtho fo yn y siop y deudwyd o gynta rioed.

Wrth ddwyn ar go John Jones a'i washars a'i sgriws a'i nyts and bolts, ac wrth gofio William Pierce, ei fab, neu Wili Betws a'i batants, pa ryfadd hefyd i Osborn, ei nai, gymryd at ddyfeisio hyd yn oed pan oedd o'n blentyn ysgol. Dwi'n ei gofio fo wrthi'n ddeheuig iawn yn trin y ffrâm 'bren calad' a'i thyllu ar gyfar y mil a mwy cocos bach melyn oedd yn tynhau'r tanna ar gyfar ei delyn.

Dwi'n meddwl siŵr i William Pierce Jones blanio olwyn ddŵr oedd yn cael ei gyrru gan ddŵr o'r llyn yng ngheg lôn y Betws. Goleuo'r tŷ oedd ei gwaith, ac am wn i na ddaru hi atab ei phwrpas. William Pierce oedd y dyfeisiwr yn fan yma eto, a Meredydd Rowlands wnaeth y gwaith.

Cawn glywad mwy am deulu lliwgar y Rowlandsiaid yn nes ymlaen. Rhaid sôn dipyn am William Jones y sadlar yn gynta. Un ar y tro, 'one at a two', chadal Miss Magi, Dolbenmaen Stores. Yn y Crown, Llanystumdwy, roedd William yn byw, y tŷ drws nesa i'r ysgol, a thafarn yn yr hen amsar – un y bydda'r hen sgŵl, 'Yr Hen Ddefis', yn manteisio'n helaeth arni.

Hen lanc o Aberteifi yn siarad 'hwntw' oedd Defis. Mi fu yma am gyfnod go hir. Roedd o'n aros efo Miss Whittington yn y Gwyndy ac mi gafodd gartra cysurus yn fanno hyd ddiwadd ei oes. Ia, yma'n y Llan y buo fo farw ym 1856, a'i gladdu yma hefyd. Roedd o'n eglwyswr selog a photiwr solat – yn y Crown bydda fo'n yfad. 'Small' oedd enw'r pentra ar y ddiod ac mi fydda'n reit hawdd gin Defis bicio i'r Crown ar ganol gwers am ei 'small'. Mi fydda'n mynd i dempar ddrwg ar ôl cael diod ac yn leinio'r hogia nes byddan nhw'n gwaedu, gan adael llonydd i'r genod.

Saesnag oedd petha'r hen Ddefis: y plant yn gorfod adrodd 'fresh fish on a dish' drosodd a throsodd ar ei ôl o, a lwc owt os na fyddan nhw'n ei blesio fo ac yn deud ffis yn lle 'fish'. Yr eglwys oedd yn talu am yr ysgol. Doedd y plant yn talu am ddim, ond rhoi chwecheiniog ddechra gaea at y glo. Caniateid chwartar awr i bob dosbarth fynd at y tân i dw'mo.

Cyn i'r Hen Ddefis fynd yn hyfach na'i groeso, rhaid mynd ymlaen efo hanas y sadlar. Dyn bychan del efo wynab crwn, bocha biwglar a dau lygad brown fel tedi bêr oedd William Jones – eglwyswr, wrth gwrs, gan ei bod yn talu'n dda iddo fynd i'r eglwys. On'toedd y dyn yn cael gwaith yn trwsio gêr ceffyla'r stada. Oedd, roedd o'n eglwyswr selog ac yn galw yn Nhy'n Llan, fy nghartra i, bob bora Sul ar ôl y gwasanaeth, ac yn deud petha digon rhyfadd.

'Bregath dda bora 'ma, Musus,' medda fo wrth Mam.

'Oedd 'na?' medda hitha.

'Oedd wir,' medda William. 'Oedd wir. Roedd o'n gweiddi cymaint mi clywach o o Griciath.'

Roedd o wedi bod yn rhyfal 1914–18, ac er mai chydig iawn soniodd o am ei brofiada yno, roedd o'n mynd o'i ffordd i ganmol ei fwyd. 'Brecwast da iawn, ychi, ham an' eggs a dau'n dri o wya.'

Llongwr oedd fy nhad, Gabriel Jones, ac un o'r petha

cynta fydda fo'n neud ar ôl dŵad adra am egwyl o'r môr oedd mynd heibio William Jones i'r Crown. Y Crown oedd enw cartra William, a chan fod yr enw'n codi ei ben yma ac acw yn y 'mân bethau' y mae galw am air byr o eglurhad. I'r tŷ yma y daeth Dora, fy ngwraig, a finna i fyw yn syth ar ôl priodi. Roedd y Crown wedi peidio bod yn dafarn flynyddoedd cyn ein hamsar ni, o drugaradd. Tŷ hwylus drws nesaf i'r ysgol ac ar fin y ffordd brysur trwy bentra Llanystumdwy. Chdi a chditha fydda hi rhwng William Jones a Nhad. Fydda'n *ddim* ganddyn nhw fynd ar eu beics am ddarn helaeth o ddwrnod i gyffinia Bryncir, Pantglas a Llanllyfni i rannu bilia'r sadlar. Ond hel diod bydda'r cnafon, a dod adra mewn hwylia da dros ben.

Roedd Nhad yn hoff iawn o sôn am un tro yr aeth o i'r Crown i nôl y sadlar i ddŵad am reid. Mi gofiodd William bod Ifan ei frawd wedi galw a'i fod o yn y tŷ, ac nad oedd fy nhad wedi'i weld o ers tro byd. Yn ei frys mi ffwndrodd, a dyma be ddeudodd o: 'Dal arni am funud, Giab, a tyd i tŷ i ti gael cwarfod y diweddar Ifan mrawd.'

Roedd gan William drelar pwrpasol i'w fachu tu ôl i'w feic. Cafodd ei ddal gan blismon unwaith tu draw i Bentrefelin, ar ei ffordd i Borthmadog, a hwnnw'n gofyn oedd o'n sylweddoli ei fod o'n gorlwytho'r trelar. 'Nag'dw,' medda William. 'Waeth gin i befo fo os codith o'i ben dan bont y Wern.'

Mi fydda'n aros weithia am bythefnos neu dair wsnos ar y tro ym mherfeddion Sir Feirionnydd. Pan oedd o'n gweithio yn Abergynolwyn, medda fo, mi alwodd i oedfa'r nos yn y capal yno, ac mi steddodd yn o bell yn ôl. Doedd o ddim ond wedi prin ista nad oedd blaenor yn gweiddi o'r sêt fawr, 'Croeso aton ni. Ddowch chi mlaen, os gwelwch chi'n dda?' Ei gamgymryd o am y pregethwr ddaru'r blaenor, yn ôl William. 'Rwbath diarth oedd newydd ddŵad i Dywyn efo'r Salvation Army.'

Roedd yr hen frawd yn reit hoff o gael ei gamgymryd am weinidog neu berson. Roedd o'n honni iddo fo gael profiad eitha melys yn nrws tafarn y Bryn Hir unwaith. Roedd yno Sais â'i droed ar stepan y drws ar fin mynd i mewn yr un funud â fo. Dyma'r dyn yn bagio ac yn ei gymall o mlaen a deud, 'No, you carry on, you are the Vicar of Pentrefelin.'

Er ei fod o'n byw a bod yn crwydro'r pellafoedd, roedd ganddo fo weithdy helaeth yng nghefn y Crown. Roedd gynno fo ddau foto-beic â'u pwys ar y parad fan hyn, ac yno y buon nhw am rai blynyddoedd – Exelsior a New Imperial o'r dauddega, y ddau i'w gweld mewn cyflwr da ond welis i rioed mohonyn nhw'n cael tro. Mi brynodd un arall atyn nhw: 'Hen un Mrs Walter Jones, Cricieth, yli. Lady's Model ar gyfar dynas, un ysgafn a hwylus iawn i mi.' Chafodd o fawr o hwyl ar hwnnw, chwaith. Troi at y parad i gadw cwmni i'r New Imp a'r Exelsi-ôr, chadal y sadlar, fuo'i hanas ynta.

Fel llawar o'i flaen, troi at bedair olwyn wnaeth William Jones hefyd. Austin 10 oedd ei gerbyd cyntaf, a chyn pen dim roedd o wedi penderfynu bod hwn yn beth llawar, llawar rhy fawr iddo fo ei drin, a dyma fynd am Austin 7 pen meddal, un i gario dau. Sefyll yn yr iard fu hanas hwn hefyd, mewn llai na thri mis.

Yn fuan iawn wedyn mi brynodd Ffordyn graenus iawn gan feddwl ei drosglwyddo fo i'w fab, Sam, oedd yn y fyddin. Y noson gynta i Sam fod adra, mi aeth â llond y car o ffrindia i'w ga'lyn i Bwllheli. Drannoeth, fora Sul, mi alwodd Sami heibio i mi i ofyn awn i efo fo i'r Berch i newid olwyn. 'Iawn,' meddwn inna, gan dybio mai wedi cael pynjar oedd y boi. Ond naci, roedd y Ford du sglein ar ochor las y ffordd fawr a'i draed i fyny, efo'r echal flaen yn hongian wrth ei ochr. Trist, ie trist iawn. Ond chwara teg i'r sadlar – os chwara teg hefyd – roedd rhaid cael petha llawar pwysicach na char i'w gynhyrfu o.

Roeddwn i'n hoff iawn o William Jones *arall* hefyd. Gan ei fod o'n gweithio yn y Gwyndy, drws nesa i Dy'n Llan, fy nghartra i, cawn lawar o'i gwmni. Dyn ifanc iawn ei ysbryd; heneddiodd o rioed. Cawn sgwrs efo fo bron bob dydd, wrth iddo fo fynd drwy'r iard lle'r oedd fy ngweithdy i at ei orchwylion yn y caea. Gneud rhigyma doniol oedd ei betha. Rhai tebyg i hwn:

Off we go, through the snow,
I fwydo'r iâr, Tomi Ffâr.

Doedd byw na bod nad awn i am ras efo fo – 'am wsa ras', fel'na bydda fo'n deud. O'r efail at adwy Maes y Gwaed oedd ein trac rasio ni, ac yn ôl drachefn. Cae fel unrhyw gae ydi Maes y Gwaed erbyn hyn, ond bod tŷ wedi'i godi ar un cwr. Roedd yno dalwrn ymladd ceiliogod ar un amsar. Dyma fy rhigwm inna i William Jones:

Am Wsa Ras

Erstalwm yn y Gwyndy
A William yno'n was
Doedd dim â'i plesiai cystal
Â'm herio i redeg ras.
Roedd o bryd hynny sbelan
Yn hŷn na chanol oed
A finnau'n hogyn deunaw
Pur chwimwth ar fy nhroed.

Cychwyn wrth yr efail
Fydda'i hanes hi,
Chwibaniad fer gan William
Ac yna ffwrdd â ni.
William Jôs fel ewig
A chythral yn ei draed,
Y fo bob tro yn gynta
Wrth adwy Maes y Gwaed.

Yna'n ôl i rannu blawd
Yn sŵn cwpledi fyrdd 'rhen frawd:
'Off wi go, thrw ddy snô,
I fwydo'r iâr, Tomi Ffâr.
Mae Wil Belle Vue yn sbïo'n gas
Am 'i fod o'n colli'r ras'.
Does dim yn well gefn trymedd nos
Na chofio ffwlbri William Jôs.

Un arall sydd yn haeddu'i gofio ydi Twm Morris. Nid y Prifardd Twm Morys, mae o'n haeddu cyfrol drwchus iddo'i hun ac mae angan un llawar mwy abal na fi i ymgymryd â honno. Na, Twm arall ydi hwn. Roedd o'n byw efo'i fodryb Siwsan, bron dros y ffordd i ni pan oeddan ni'n byw yn y Crown, ac mi fu'n gefn mawr i ni, weithia ar y pympia petrol, dro arall yn diddanu amball gwsmar drwg 'i ddiodda fydda'n fy ngweld i dipyn yn hir yn trin ei gar o.

Do, mi glywis i Twm yn traethu petha go ryfadd o dro i dro. Cofio un pnawn Sadwrn wrth y pwmp a Twm yn cael ei ddal gan ddyn o Gricieth oedd yn enwog am ddiflasu pawb yn sôn am ei salwch. Y pnawn yma roedd o wedi mentro i faes astrus lle'r oedd o'n cael blas ar gymharu aeloda hanfodol ei ffrâm fregus. Os oedd un glust iddo fo'n gwaethygu roedd y llall yn gwella, a rwbath yn debyg oedd hanas y golwg, medda fo, ond bod petha'n gweithio ffordd arall: pan fydda un llygad yn cryfhau mi fydda'r llall yn gwanhau. Tebyg iawn oedd hanas y crydcymala yn ei freichia fo. 'Ddoe, y chwith oedd yn fy mhoeni fi, ond erbyn hiddiw mae'r dde yn saith gwaeth na hi.'

'Ia'n wir,' medda Twm, 'Rydach chi yn llygad eich lle, Wilias. Rydw inna wedi sylwi lawar gwaith, fel ma un goes yn cwtogi, ma'r llall yn mystyn.'

Mi ddeudodd un reit smala wrth ryw actoras o Nefyn oedd acw yn holi ynglŷn â drama gin i. Cael te pnawn roeddan ni, a finna wedi cyflwyno'r ddau i'w gilydd yn barchus iawn. Dyma'r wraig ifanc ddiarth yn troi at Twm a gofyn iddo oedd gynno fo ddiddordab mewn drama.

'Bobol, oes,' medda Twm, 'glywsoch chi sôn am *The Hound of the Baskervilles*?'

'Y ffilm?' medda'r ddynas, yn llawn diddordab.

'Ia, ia,' medda Twm. 'Fi oedd y lîd.'

Roedd yn aelod o'r Home Guard, a hynny braidd yn groes i'w wyllys. Ar iard yr ysgol yr oeddan nhw, a phastwn bychan gan bawb, hyn cyn iddyn nhw gael gynna. A dyma'r swyddog yn cyhoeddi bod y Jyrmans yn mynd i 'mosod yn nhraeth Ty'n Morfa, a bod raid i bawb fynd yno i'w hwynebu nhw. Mi welodd y swyddog ar wynab Twm Morris nad oedd gynno fo fawr o awydd mynd, ac medda fo: 'Calliwch, Morris, *ddaw* 'na ddim Jyrmans, practis ydio.'

'Iawn,' medda Twm, 'bellad na ddaw 'na ddim Jyrmans, waeth inni adra. Ac os dôn nhw, ma'n *well* inni adra.'

Cwsmar reit selog i mi yn y garej 'cw yn y Crown oedd Owen Jones, Tyddyn Felin, ac mi rydw i'n cofio Twm yn deud rwbath eitha smala wrth hwn hefyd. Noson neu ddwy cyn y Dolig oedd hi, a finna wedi bod yn 'mosod ar y botal win ac yn cadw llygad ar y pympia 'run pryd. Dyma Owan Jones yn cyrradd ar ei feic cacwn, yn aros wrth y pwmp ac yn canu corn yn ddiddiwadd, y corn diniweitia mewn bod, siŵr gin i. Roedd yr hen fachgan wedi mynd yn slaf i oleuon coch. Roedd ganddo fo bedwar gola coch ar blât tu ôl i'w feic dandi, a phedwar botwm fflamgoch wedi hynny un bob congol i'r bag negas mawr oedd ar ei gefn. Ymhen hir a hwyr, a pheth wmbrath o ganu corn, Twm aeth ato fo a dyma glywis i:

Twm: Sudachi, Owan Jôs? Dolig Llawan i chi.
Owen: Dowch yn ych blaen, da chi. Mi fydd siopa Criciath wedi cau a finna heb ddim yn tŷ ar gyfar Dolig. Ro'n i *ar* fynd o 'ma, yn meddwl nad oedd 'na ddim glyfiniad i ga'l yma.
Twm: Ma'n wir ddrwg gin i, o'n i'n meddwl na Crysmas Trî oeddach chi.

Er mai garddwr yn y Parciau, ger Cricieth, oedd Twm, doedd gynno fo fawr ddim i'w ddeud wrth arddio. Gin i go am ei hen fodryb Siwsan yn deud am y riwbob, 'Mae fy riwbob i'n dŵad ymlaen nad waetha Twm.'

Na, pysgota oedd plesar Twm; pob ffurf ar bysgota. Mi ges i amal i wers gynno fo ar bysgota efo llaw, neu'n hytrach efo dwy law. Gneud siâp cwpan efo'i law chwith am drwyn gwyniedyn bydda fo, a rhuthro i fain y gynffon efo'r dde a thaflu'r sgodyn ar y dorlan. Er i mi ei weld o'n cyflawni'r gamp droeon, lwyddis i rioed i ddal sgodyn efo nwylo. Pe digwyddan ni ddeud mai gwyniedyn fasa'n flasus, mi âi Twm ati i dorri gwrych yr ardd a rhoi hwnnw mewn cyfnas fawr a'i gario fo i'r afon. Dau wyniedyn byw o'r Twll Buwch, pwll bychan o Afon Dwyfor, fydda yn y gynfas yn dod yn ôl, a neb ond Twm a ninna'n fymryn callach.

Mi fydda'r hen Fodryb, Anti Siw, yn ista llawar efo Meri Jôs, y drws nesa, yn gwylio ceir pobol ddiarth yn heidio i Lŷn. Gan fod Anti Siw yn drwm iawn ei chlyw, mi clywech nhw'n siarad o bell.

Daeth Jag Wiwar mawr heibio efo trelar a chwch wrth ei gwt.

'Cwch,' medda Meri Jôs wrth Siwsan.

'Y?' medda hitha, a Meri'n trio wedyn.

'Be?' Doedd hi ddim wedi clywad. Mi symudodd Meri Jôs yn beryglus o agos i glust ora Siw a gweiddi â'i holl nerth: 'CWCH!'

'O,' medda Anti Siw, 'mynd i Chwilog at y baedd, reit siŵr i ti.'

Roedd yr hen Fodryb hitha'n un sgit am stori. Roedd hi wrth ei bodd yn deud ei hanas yn hogan ifanc iawn iawn, amsar maith yn ôl, yn gweithio mewn tŷ yng Nghricieth. Rhoi dillad ar lein roedd hi, a dyma hogyn bach, Deio, yn rhedag ar draws y lawnt efo pwt o ffon yn ei law, yn taro'i blaen yn ei phen ôl, medda hi, ac yn gofyn, 'Be 'dach chi, Anti Siw, British ta Bôr?'

Teulu Tyddyn Sianel

Dyma'r lle i ddeud gair am deulu Tyddyn Sianel, pan oeddan nhw yno'n byw yn deulu cyfa – Owen Rowlands, y tad; Margiad Rowlands, ei wraig, a'r hogia, sef Tomos, Meredydd, Richard ac Owen Huw (yn y drefn yna, o'r hyna i'r fenga).

Doeddwn i ddim yn nabod Mrs Rowlands llawn cystal ag o'n i'n nabod Owen Rowlands a'r meibion. Ond mi wyddwn ei bod hi'n dŵad o ochra Llandecwyn, a'i bod hi'n ddynas lawan ac yn mwynhau'i hun ynghanol pob rhialtwch, boed hwnnw lon neu leddf. Mi fydda'n reit hawdd gan y ddau alw heibio Ty'n Llan, yr hen gartra. Os bydda Owen yn digwydd sôn am gampia'r hogia, boed rheiny ddrwg neu dda, clowcian chwerthin a churo'i chlunia fydda ymatab Margiad bob tro.

Teulu o heddychwyr a chenedlaetholwyr oedd teulu Tyddyn Sianel – heddychwyr ymosodol, am wn i, ydi'r ffordd ora i'w disgrifio nhw. Doeddan nhw ddim yn arw am gyhoeddi unrhyw negas oddi ar benna'r tai, na dim o'r fath, ond fuo'r un ohonyn nhw ar ôl o fedru dadla'u hachos mewn dull reit ulw bendant.

Roedd Owen Rowlands yn flaenor gweithgar efo'r Methodistiaid. Yn ystod y rhyfal, daeth papur i bob capal i'n rhybuddio be i neud pe dôi'r Jyrmans ar ein gwartha.

Roedd y rhestr yn un hir iawn, o dan deitl mewn du trwm, OS DAW'R GERMANS. Ystyriai Owen Rowlands y 'racsyn' hwn yn un gwirion iawn, a dyma sut y cyhoeddwyd o mewn oedfa nos Sul: 'Mae 'na ryw bapur rhyfadd iawn yn y lobi 'na: "*Pan* ddaw'r Germans". Darllenwch o, da chi, fel na fydd ych gwaed chi ddim ar 'y mhen i.'

Dro arall pan gododd casgliad 'The War Weapon Week' ei ben, mi alwodd gwraig ffarm bwysig a chefnog yn Nhyddyn Sianel i ofyn am gyfraniad. 'Na,' medda Owen, yn eitha cwrtais am y tro, 'rown i'r un ddima at y fath beth 'tasa arian yn llifo dros 'y mhocad i.' Mi wylltiodd y wraig fawr gan godi'i llais a gweiddi dros y tŷ nes deffro un o blant Tomos, y mab hynna.

'O?' medda'r wraig. 'Conshi ydi *hwnna* hefyd?'

Mi wyddai Tomos bod gan y wraig yma ddyn ifanc, ei nai, gartra ar y ffarm; roedd o'n cael osgoi mynd i ryfal trwy fod yn swyddog oedd yn gofalu bod y ffarm yn torri ysgall. Dyma'r atab gafodd y wraig biwis gan Tomos: 'Naci, "reserved occupation" ydio – dylanwad teulu'n ei gadw fo adra.'

Roedd Dic (Richard) a Now (Owen Huw) mewn oed i gael eu galw i'r fyddin ac yn cael eu poeni gan dribiwnlysoedd byth beunydd. Roedd Dic yn gwrthwynebu mynd i ryfal fel 'Aelod o'r Blaid Ddynol', ac mi ofynnwyd iddo fo gan Syr Evan Jones, Ffestiniog, fel hyn: 'Wyddoch chi am rywun sydd *ddim* yn aelod o'r blaid ddynol?'

'Gwn,' medda Dic, gan syllu'n hir i fyw llygad Syr Evan. 'Mi wn i am un neu ddau.'

Ei anfon i garchar ym Manceinion fu'r ddedfryd gafodd Dic Rowlands, ac mi ddigwyddodd peth annisgwyl iawn yn ei hanas o yno. Roedd Dic yn ddarllenwr mawr erioed ac yn gwsmar gyda'r gora i'r dyn oedd yn galw heibio efo'i dryc llyfra, llyfra Saesnag bob un yn ddieithriad – *ond* un waith. Pan ofynnodd Dic am lyfr Cymraeg, mi ddeudodd dyn y tryc ei fod o braidd yn siŵr bod gynno fo un, a'r llyfr Cymraeg hwnnw oedd *Trysorfa'r Plant* a chryn dipyn o oed arni. Dydi'r stori ddim yn gorffan yn y fan yna: pan aeth o i ddarllan y misolyn bach, be wela Dic yn adran 'Y Diddanion' ar ei ddiwadd ond: 'Yn fuddugol, Richard Rowlands, Pencoed.' Ia, Dic ei hun oedd Richard Rowlands, Pencoed – hyn cyn i'r teulu symud o Gefn Rhosgyll i Dyddyn Sianel.

Owen Huw oedd y fenga o'r plant, yr un oed ag Elis Gwyn, fy mrawd, a dwy flynadd yn hŷn na fi. Un doniol oedd Owen Huw. Gin i go ei weld o'n hogyn ifanc iawn yn sefyll ar wal pont y pentra ac anfarth o gorn gramaffon wrth ei geg, yn llafarganu ac yn gneud y nada rhyfedda. Pylia fydda Now yn gael. Gwelis i o'n selog iawn am gadw'n heini. Roedd o o ddifri ynglŷn â hwn, yn dewis byta dail dant y llew, eu malu nhw'n fân efo bys a bawd, byta powliad ohonyn nhw tra medra fo'u cael nhw, a hynny bob nos i swpar. Tua deunaw oed oedd o 'radag yma. Roedd o wedi taro ar gwrs da iawn, medda fo, cwrs *colli* pwysa a chwrs *codi* pwysa yr un pryd. Gan ryw Alfred J. Briton o Lundain yr oedd o'n cael y cyfarwydd-iada a'r gêr. Dau sbring cry a dolan ar un pen i'r ddau oedd y gêr, ac Alfred yn tanlinellu pa mor bwysig oedd bod y pen arall yn ddiogel sownd yn un o'r distia. Dyna oedd y cyfarwyddiada a fawr ddim arall, ond fod Mr O. H. Rowlands i dynnu yn ei sbrings am dri chwartar awr ar y tro. Dydw i ddim yn siŵr pa mor llwyddiannus fuo'r anfadwaith ond mi welis yr hen gyfaill, ymhen deufis o dynnu ar raffau addewidion Alfred, yn ymladd yn o arw i drio plygu pedol ceffyl efo dwy law noeth. Dro arall mi gwelis o'n gwthio o dan drol wag gan lwyr obeithio medru ei chodi fodfadd neu ddwy oddi ar y ddaear, heb help neb na dim ond asgwrn ei gefn.

Yn fuan wedi cychwyn y rhyfal, codi pac a mynd i weithio ar y tir yn Bridgnorth ddaru o. Dwi'n cofio ei gychwyn o a dymuno'n dda iddo fo yn y pentra ar noson braf iawn o ha. Efo beic roedd o'n gneud y siwrna, a threlar bychan wedi'i neud yng ngweithdy saer Tyddyn Sianel ac yn llawn pacia yn sownd wrth ei gynffon. Gwn mai yn Nyffryn Mymbyr y gosodwyd camp ar y noson gyntaf honno. Roedd Owen Huw yn llythyrwr selog. Mi welis un cerdyn post anfonodd o adra:

> Annwyl Nhad,
> Be haru chi yn mynnu dal i roi yr 'e' yn Bridgnorth?
> Cofion fel arfer,
> Owen Huw

Roedd pob un o feibion Tyddyn Sianel yn rhai diddorol a gwerth i'w nabod, ond mae'n debyg mai Meredydd oedd y tebycaf i'r gweddill o ddynion, er y gwnâi hwnnw hefyd amball i beth eitha digri. Doedd ganddo fo ddim pwt o lori yn nyddia cynnar ei fusnas adeiladu. Y cyfan oedd ganddo fo oedd clamp o foto-beic Sunbeam, CC 8725. Hwn, amball dro, fydda'n gorfod gneud gwaith lori. Mae'n hollol wir i rywun weld y ddau yn mynd ar y Sunbeam trwy Ros-lan – Meredydd wrth y llyw a Dic ar y piliwn a'i gefn at y dreifar, yn tynnu berfa yn llawn arfa a defnyddia codi tŷ. Ydyn, *ma* petha wedi newid. Biti.

Roedd yr ias ryfygus yma'n dŵad heibio i deulu Tyddyn

Sianel i gyd yn eu tro, o'r tad i'r mab fenga. Er mai aelod selog o'r Hen Gorff oedd Owen Rowlands, mi gwelson ni y fo o bawb yn cael y fraint o dwtio twll cloch yr eglwys unwaith neu ddwy. Hynny am ei fod o'n ddyn uchal iawn ei barch gan Miss Pugh, Ynysgain. Fo, Owen Rowlands, fydda'n cael trwsio ei thai gwydra a'n cyfaill Stewart Jones o bawb yn cael ei helpu, er nad oedd o, mwy na finna, ddim yn selog iawn mewn na llan na chapal.

Ond sôn am yr ias ryfygus ddylwn i yn lle crwydro i bob man. Mae gin i go reit glir gweld Owen Rowlands yn cerddad mewn sgidia hoelion ar hyd crib y to efo'i draed un o boptu iddi, pwcad yn un llaw a thriwal yn y llall. Nain yn ei dychryn yn gweiddi arno fo o'r ddaear wrth ddôr y fynwant: 'Dowch i lawr, Ŵan, y cradur gwirion!' Ddaru'r saer maen gyffroi yr un blewyn. Codi'i driwal, nodio, a mynd ymlaen ddaru o.

Pa ryfadd bod ias ryfygus yn dŵad heibio'r mab fenga, a'i dad o'n un mor fentrus? Mi glywis am Owen Huw yn bwrw'i brancia mewn tŷ yn Llithfaen. Roedd o wedi gorffan y gwaith yno a'r wraig wedi'i phlesio'n arw, yn ôl pob sôn. Wrth sgwrsio yn y parlwr mi awd yn fuan iawn i drafod cadw'n heini, ac yn ddisymwth dyma Now yn teimlo fel rhoi 'rendering' (gair Stewart ydi hwnna), trwy sefyll ar ei ben ar lawr. Roedd y wraig ifanc wedi dotio: 'Un mor ystwyth ydach chi, Owan Huw!'

Trueni trueni, daeth yr hen ias, y perswâd mewnol, heibio i Owen. Mi neidiodd ar y bwrdd a sefyll ar ei ben a'i draed i fyny ar hwnnw. Do, mi gyfarfu'r wraig honno â phrofedigaeth go fawr. Cafodd weld ei siandelïar yn dod i lawr yn gawod ar y bwrdd. Dyna ni, stori fach fel'na er parchus goffadwriaeth.

Teulu gyda'r gora oedd teulu Tyddyn Sianel. Mae rhai o'r disgynyddion i'w gweld hyd y fro, a diolch amdanyn nhw.

Pobol Cae Llwyd

Mae gin i flys sôn am un neu ddau o drigolion Cae Llwyd. Un ar ddeg o dai cegin, siambr a thaflod oedd rhes Cae Llwyd, ar wahân i'r ddau dŷ isa yn y pen nesa at Gricieth oedd fymryn yn fwy.

Fy modryb Elin oedd yn byw yn Nymbyr 3. Hi yn chwaer i Nhaid ac yn un o docyn mawr o blant wedi'u magu mewn bwthyn bychan iawn o'r enw Glan Môr, yng ngheg Afon Dwyfor. Wn i fawr iawn o hanas cynnar y teulu ond mi glywis am William Jones, tad y criw plant, yn cael ei bowlio at y doctor mewn berfa. Rhifa oedd ar ddeg tŷ yn y rhes, ond roedd yr hen Fodryb wedi mynnu rhoi'r enw Glan Môr (ar ôl ei hen gartra) mewn llythrenna bychan taclus uwchben drws ei bwthyn Nymbyr 3.

Bu Elin yn gweithio am rai blynyddoedd yng Nghricieth i'r Doctor Black, glanhau'r tŷ a ballu. Mae gin i ryw fudur go amdani hi'n rhoi ornament bychan yn bresant i Mam yn y cyfnod pan oedd hi'n gweithio yng Nghricieth, dau-gariad tegan yn sownd wrth linyn. P'run ai wedi'i gael o ynta wedi'i gipio fo yr oedd hi, wn i ddim, ond fel hyn deudodd hi wrth Mam: 'Hwda fo, cadw hwn, ma gin 'rhen Flack ormodadd.' Roedd Modryb Elin yn un garw am neud negeseua i bobol y rhes, ac wrth ei bod hi'n gweithio i'r Doctor Black mi fydda'n dŵad â ffisig i hwn a'r llall. Pan oedd Owen Gryffudd drws nesa adra'n cwyno'n gynddeiriog efo poen yn ei glun, Elin oedd y cyswllt rhyngddo fo a'r hen Flack. 'Ac mi ddois i â photal o rwbath ag enw tebyg i ffrensh arno iddo fo i rwbio dair gwaith y dydd. "Wyt ti rywfaint gwell, Ŵan Bach?" medda fi drannoeth. "Wel ydw, hogan, mae nylad i'n fawr iawn i ti," medda Ŵan. "Llond dwy lwy fwrdd ydwi wedi gymryd, a dydw i ddim yr un un. Mi ro'n i'n plygu i ddeud fy mhadar neithiwr am y tro cynta."'

Roedd Nedw, un o feibion Elin, dipyn mwy anturus na'r lleill. Mi aeth i Awstralia yn lled ifanc gan roi ei feic, Raleigh gwyrdd 'cross frame', yn bresant i Bobi Gryffudd, Nymbyr 10, i gofio amdano fo.

Y Butlers oedd yn byw yn Nymbyr 5. Roedd yno ddau o feibion, Wili ac Alfred – Wili yn arddwr gyda'r gora, medda pawb. Roedd gynno fo ardd fawr lewyrchus yn Felin Bach ar lan Afon Dwyfor, gardd lysia a bloda. Hannar Saesnag a hannar Cymraeg fydda Wili'n siarad: 'Cipar river yn trio dal fi but I ran before the bygyr,' petha fel'na. Bachgan ifanc hoffus a hardd oedd Wili Butler, yn eitha tebyg i'r bloda oedd o'n dyfu. Mi fuo gan Wili foto-beic, Raleigh, am gyfnod byr a doedd Twm Morris, ei bartnar biliards, ddim yn blino deud ei hanas yn mynd ar y piliwn i Chwilog efo'r Butler. Mi nogiodd y Raleigh yn adwy Efail Jôb. Roedd yr injan yn troi'n iawn – yn chwyrlïo troi – Wili â'i draed ar lawr, a Twm â'i draed ar y pegia ddwy droedfadd reit dda yn uwch na'r llawr. 'Ac yno buon ni,' medda Twm, 'yr injan yn troi nes oedd y pot piston yn fflamgoch a ninna'n symud dim modfadd.' A Twm ddaru ddatrys y broblem. Digwydd troi ei ben yn ôl ddaru o a chael cip ar y belt oedd yn gyrru'r olwyn ôl, yn ei hyd fel neidar ar y lôn.

Ymhen blynyddoedd wedi iddo fynd i ffwrdd y trawis i ar Alfred, y brawd fenga. Yn siop fach y pentra roedd o, ac yn holi'r ddynas y tu ôl i'r cowntar be oedd hanas hwn a'r llall yn y pentra. Ac er mwyn cael pum munud, yn fwy na dim arall, dyma'r ddynas yn gofyn i mi, yn Saesnag, o'n i'n nabod y dyn diarth. 'Alffred Byclyr,' medda finna fel siot. Mi wasgodd y dyn diarth fy llaw i nes o'n i'n neidio wedi imi ddeud pwy o'n i a ballu, a deud rwbath am 'amazing, amazing, Belle Vue'.

Siop oedd Nymbyr 6, a Jane Jones oedd yn byw yn rhesdai Cae Llo Brith oedd yn ei chadw hi. Y diod coch o'r enw Vantas, ceiniog am lond potal ffisig, ydi'r unig beth sydd wedi aros ar fy ngho i o Siop Jane. Cael ei anfon i fyny i belan wydr fawr ar dalcan y cowntar yn drochion fflamgoch oedd hanas hwn. Wydda neb yn iawn be oedd yn creu'r wyrth, a hynny mewn oes ddi-drydan. Ia, gwyrth a'n diddorai ni o'r newydd bob ha wrth i ni droi i mewn ar ein ffordd i lan y môr.

Gweithdy crydd ydw i'n gofio yn Nymbyr 7. Watkins Crydd, fel'na – chlywis i rioed roi enw cynta iddo fo. Un rhyfadd oedd o, yn magu pry copyn o bob peth. Jiorj oedd enw hwnnw. Fo oedd cannwyll llygad yr hen grydd ac mi fydda'n bwydo'r pry o'i law ef ei hun ar amball dymor di-bryfaid. Mi welis i'r pry un waith. Cysgu roedd o ar bnawn poeth yng nghornal y ffenast ar y tu fewn, a'i fol crwn o at faint marblan. Trafeiliwr lledar blin lladdodd o efo'i fawd. Fuo'r hen grydd fyw fawr iawn ar ei ôl o. Marw o dorcalon, glywis i.

Mae Nymbyr 8 yn peri dryswch i mi. Does dim amdani

ond beio'r cof. Teulu Robert Roberts ydw i'n gofio'n byw yno un amsar: y fo a'i wraig a phedwar o blant, Huw, Dafydd, Blodwen a Bobi. Roedd Huw a Gwyn, fy mrawd, am un pwl yn hogia cwningod. Coffa da am Huw yn cario clobyn mawr clustiog yn ei freichia ac yn ei hwrjo i Gwyn. 'Dyma i ti'r bwch gora sy'n y cyffinia 'ma ar hyn o bryd, un a'i berffomiad o'n gredyd iddo fo. Mi fedra i 'i ollwng o am ddeunaw ceiniog, arian parod.' A do, mi drawyd bargan.

Bron na thaerwn i bod yr enwog Robin Wyn a'i deulu wedi bod yn byw yn Nymbyr 8 ar un adeg. Dyn peniog ac un parod iawn ei atab oedd Robin. Roedd o'n gweithio ar y ffordd yn y pentra a newydd ddechra gwisgo gwasgod goch liwgar gweithiwr y Cyngor.

'Ro'n i'n meddwl mai fflag oedda ti,' medda un o'i gronis ddaeth heibio.

'Naci,' medda Robin. 'Ma hwnnw'n ysgwyd weithia.'

Roedd 'na fardd yn byw yn Nymbyr 9, y bardd cynta rioed i mi ei weld yn symud. John Jones oedd ei enw iawn a Pistyll Gwyn oedd ei enw barddol. Doedd gin John Jones ddim ofn *edrach* fel bardd, yn ei gêp laes a'i het ddu fawr a'i wallt gwyn yn torchi dros ei golar, a Wdbein yn ei geg rownd y rîl. Ei swydd gynta a'r bwysica oedd sgwennu penillion i gyfarch para' priod, a marwnad nawr ac yn y man i gofio pwysigion. Mi ddeudodd un o deulu'r Leiasod mai swllt y llath oedd o'n godi am y rheiny. Ei ail swydd o oedd trin gerddi'r ardal, gerddi bloda. Doedd gynno fo un dim i ddeud wrth lysia, medda Mam. 'Rydach chi angan fforgetmis i lenwi'r gongol 'ma,' medda fo wrthi ar ryw gyfri. 'Mi ddo i â chlwstwr i chi, mae gin i rai da iawn yng ngardd y Ficar.'

Yn Nymbyr 10 yr oedd Bobi Gruffydd yn byw. Elis

Gruffydd oedd ei dad. Mi glywis rywun yn ei alw fo'n Elis Dau Lais, wn i ar y ddaear pam. Roedd Bobi'n bysgotwr pluan reit enwog, a phobol ddiarth yn heidio ato i ddysgu'r grefft. Fe'i prentisiwyd o i fod yn 'ddrepar', yng ngeiria Bobi, 'yn un o siopa mawr Manchester. Ond do'n i ddim yn siwtio'r job ac mi ddois adra.'

Mi fydda'n galw'n bur amal efo ni pan oeddan ni'n byw yn y Crown. Roedd o'n arw am gadw cysylltiad a llythyru at bobol ddiarth, yn enwedig at y rhai oedd â diddordab mewn pysgota. Dwi'n ei gofio fo'n galw acw â'i wynt yn ei ddwrn, wedi styrbio. Dyn 'neis iawn' o tu draw i Wolverhampton wedi anfon dau bapur pumpunt iddo fo i godi trwydded bysgota am y tymor. Roedd Bobi'n codi trwydded i'r cyfaill yma ers blynyddoedd; chymra fo mo'r byd â'i siomi. *Un* papur pumpunt newydd sbon oedd yn yr amlen. Felly doedd dim amdani ond gofyn gâi o fenthyg 'ffeifyr' gin i, ac mi rois un iddo fo er nad oedd o ddim llawn cyn lanad â'i un o. Dyna ddiwadd y tradio, 'laswn i. Na, cyn pen pum munud roedd o yn ei ôl ac yn rhoi fy mhapur pump yn ôl i mi. *Dau* bapur pump newydd danlli Wolverhampton wedi glynu yn ei gilydd braidd oedd achos prydar Bobi. Stori bîg, siŵr iawn, ond ma hi'n dangos fel oedd y cradur bach, a dega 'run fath â fo, yn rhedag i blesio'r bobol ddiarth.

Ia, Robert Griffiths, a Bobi Gruffydd dro arall, ond Robin Llwy De oedd pawb yn ei alw fo am ei fod o'n cymryd llwya te i dynnu a rhoi teiar ei feic at drwsio pynjar. Tori oedd hwn, a'r unig un oedd yn ddigon dewr i gerddad trwy'r pentra ar ddwrnod lecsiwn efo rosetyn glas ar ei frest.

Harri Jones oedd yn byw yn Nymbyr 11. Harri Tŷ

Newydd i'r hen bobol, hen gyfaill ysgol i Lloyd George. Doedd Harri Jones ddim yn gapelwr selog iawn, ond pan fydda Isaac Davies, y Graig, Bangor, yn dŵad i bregethu'r Sul yn Llanystumdwy, mi fydda siwt ora'r hen frawd yn cael ei rhoi ar y lein o bnawn Iau ymlaen. Roedd o'n edmygydd mawr o'r Parch Isaac Davies, tad y Parch W. D. P. Davies.

Wn i ddim ydi pob un o'r petha yma dwi'n ddeud yn wir. Wedi clywad rhai ohonyn nhw yma ac acw ydw i, ac ma nhw'n wir i mi. Mi glywis i i'r Harri Jones yma alw i mewn yn y seiat noson waith, ac mi roedd hynny'n ddigwyddiad pur anghyffredin. Anfarwoldeb oedd y pwnc trafod y noson honno a'r gweinidog wedi dŵad ymlaen i'r llawr i holi hwn a'r llall. Mi aeth at Harri Jones, wrth gwrs, a gofyn, ar ôl ei groesawu o,

'Bedi'ch barn chi am y byd a ddaw, Harri Jones?' A Harri Jones yn cymryd saib hir cyn atab:

'Wn i ddim, ychi. Anffyddiwr ydw i, diolch i Dduw.'

Pan oedd o'n wael iawn yn ei wely y pen dwaetha, a'r nyrs wrth erchwyn ei wely yn gwmni iddo fo yn y tawelwch, dyma Harri'n ymysgwyd ac yn magu plwc.

'Rydw i isio nghladdu yn Nefyn,' medda fo, a hynny'n reit ulw bigog.

'Ond diar annw'l, mi ofala i bod chi'n cael ych dymuniad,' medda'r nyrs.

'Gawn ni weld, myn diawl,' medda fynta, hannar wrtho'i hun.

Athrawon

'Wool gathering again?' Miss Ann Bullen ddeudodd hynna yn fy nghlust i wrth basio nesg i yn Ysgol Port yn y wers 'geometry'. A dyna'r cyfan ydw i'n gofio iddi ddeud wrtha i. Na, mi ddeudodd 'poker point' wrth 'y mhensal i, ac mi ddeudodd mai 'strêt line is the shortest distance between two points', ond wrth y dosbarth i gyd y deudodd hi hynna. Ella baswn i wedi elwa dipyn mewn bywyd 'tasa hi wedi deud 'two pints'.

Na, ddeudodd Miss Bullen fawr air wrtha i mewn pedair blynadd, a chwara teg iddi ddaru hi rioed ofyn cwestiwn i mi chwaith, diolch byth. Go brin bod hi wedi dal sylw arna i'n swatio yn fy nesg yng nghornal bella'r stafell. Na, ddaru hi ddim. Fel amal un o'r athrawon erill, wydda hi ddim mod i wedi treulio dwrnod yn y lle. Ro'n i wedi ama hynny rioed. Mi darodd Mam arni hi ar y trên ymhen blynyddoedd, a fel *mae* rhieni, dyma hi'n sôn am ei phlant. O oedd, roedd Miss Bullen yn cofio Elis Gwyn, fy mrawd, yn yr ysgol – roedd o, medda hi, yn hogyn dymunol ac yn beniog – ond roedd hi'n mynnu na fuom i rioed ar gyfyl Ysgol Port, a wir roedd Mam yn tueddu i'w choelio hi. Peth od braidd iddi fy anghofio i, a finna'n reit ulw hoff ohoni hi a'i phetha.

Os plesio ddaru Miss Bullen, pechu ddaru Miss Thorn,

y gryduras bach. Doedd hi fawr hŷn na finna, erbyn meddwl, ac ella'i bod hi'n teimlo'n unig ynghanol pobol ddiarth y lle – newydd ddechra yno'r oedd hi. *Ddeudodd* hitha fawr air wrtha i. Sodlu dŵad tu ôl i mi ar hyd coridor diddiwadd oedd hi, a dyma hi'n rhoi 'i braich am fy nghanol a ngwasgu i reit dda, gwenu, a mynd ymlaen ar ei thaith i genhadu mewn Ffrangeg, a ngadael i gradur bach swil yn chwys drops. Petai'r mymryn lleia o blwc gin i, mi faswn wedi sibrwd yn 'i chlust hi, 'Donnez-moi donc de beaux fruit.' Na, mewn difri, ystyriwn, sut basa hi ar hogan fel'na heddiw yn yr oes lwydaidd hon, pan na chaiff Santa druan godi plentyn bach i'w freichia.

Mr William Morgan Richards oedd fy ffefryn i o blith yr athrawon. Hanes a daearyddiaeth oedd ei byncia fo. Fo fydda'n rhoi gwersi ymarfer corff inni hefyd, cicio pêl-droed a cholbio peli cricet mewn geiria erill. Dyn difyr iawn oedd hwn, a dyn hawdd cymryd ato fo. Ro'n i wedi gweld dynion tebyg i hwn cyn dŵad i'r Port, ac mi roedd hynny'n help i dreulio'r oria o naw o'r gloch y bora tan chwartar wedi tri y pnawn.

Mae gin i go am un digwyddiad bychan bach yn y wers ddaearyddiaeth pan oedd o'n sôn am Czechoslovakia, ar bnawn poeth. Mi ofynnodd am ba gynnyrch yr oedd y wlad yn enwog. Doedd y dosbarth ddim yn teimlo fel atab ar y pryd ond yn rhyfadd iawn mi ro'n i, ac yn rhyfeddach fyth mi fentrais dorri ar y tawelwch ac atab yn grynedig iawn ond eto ar dop fy llais, 'Gwydr, syr!' nes deffro'r dosbarth. Mi chwerthodd pawb.

Mi steddodd yr athro wrth fy ochor i ym môn clawdd ymhen hannar awr yn y wers gicio. Cael pum munud roeddan ni, ac mi ofynnodd i mi sut o'n i wedi dallt am wydr Czechoslovakia.

'Gweld yr enw ar gwydr lamp adra ddaru mi,' medda finna. Roedd o wedi'i blesio'n arw. Mi aeth ati i ganmol fy sgidia i wedyn, sgidia trymion o groen mochyn 'run ffunud â'i rai o.

'Yn siop Mr Wali Taylor ces i nhw,' medda fi.

'Dyna fe, Sam, yno cefes i fy rhai inne hefyd,' medda fo – a dyna finna wedi fy mhlesio.

Amball i lecyn gola fel'na mewn awyr dywyll.

Senedd Crysmas a Senedd Lloyd George

On'd ydio'n rhyfeddol sut mae amball lun yn ysgogi meddwl pedwar ugian oed a'i yrru o i grwydro yma ac acw. Edrach ar lun cyhoeddedig ar y cyd gan Wasanaeth Archifau Gwynedd ac ymddiriedolwyr Amgueddfa Lloyd George ydw i, a llun da ydio, o Lloyd George yn agor Institiwt pentra Llanystumdwy, Medi 1911. Mae'n amlwg ei bod hi'n bnawn heulog, a chriw anfarth wedi hel i'r lawnt o flaen y neuadd. Mae Griffiths y Sgŵl a'r Canon Lewis yma'n bennoeth, ac amball un mewn het wellt – hynny ydi, yn gwisgo het wellt am ei ben. Ac yna, ben ac ysgwydd yn uwch na'r gweddill, efo het galad am ei ben, mae Crysmas Jones y Gof, a'i edmygedd o o Lloyd George i'w weld yn llond ei wynab wrth i mi graffu arno fo drwy fy chwyddwydr.

Co bychan bach iawn sy gin i am Crysmas Jones, er bod yr efail drws nesa i nghartra i, ond rydwi *yn* cofio fel bydda Nain yn canmol y dyn yma. 'Chymrith Crysmas ddim lol, rhaid iddo fo gael pob un dim yn iawn, fuo rioed well codwr canu. Os bydda'r canu'n llusgo amball nos Sul yn y capal, fydda ddim gynno fo gau'i lyfr tonau'n glep a gneud i ni ailgychwyn 'efo dipyn mwy o fywyd yn'i hi.'

Rarglwydd annw'l! Maddeuwch i mi am regi, y munud

yma dyma fi'n sylweddoli pam bod Falmai Jones yn cyfarwyddo dramâu mewn dull mor fywiog a deallus. On'toedd y Crysmas yma'n daid iddi? Ydi, mae'n talu i hel meddylia. Yr atgofion bach yma'n clymu yn ei gilydd yn daclus.

'Senedd y pentra' mae cofiannydd Lloyd George, J. Hugh Edwards, yn galw'r efail yn y Llan, ac yno roedd Crysmas y Gof wrth yr engan yn morthwylio ar y degfad o Ebrill, 1890, dwrnod y lecsiwn, pan ddaeth y newydd:

D. Lloyd George: 1963
H. Ellis Nannau: 1945

Ia, os nad oedd y mwyafrif yn fawr roedd o'n ddigon i Crysmas y Gof a'i bartnar redag at y bont efo cŷn a morthwyl, a thorri'r ddwy lythyran 'MP' wrth gwt y 'D.Ll.G.' oedd yno eisoes. Mae pennill yn y gerdd 'Llanystumdwy' gan Dwyfor, bardd â'i wreiddia yn y pentra, yn dangos fod y tair wedi bod ar glawdd y bont am amsar o flaen y ddwy. Dyma'r pennill, a diolch i'r Parchedig Ifan Williams, Llanystumdwy, am ddod â fo i'r amlwg:

Yn fynych hen atgofion
Ymrithiant o fy mlaen,
Rwy'n cofio'r tair llythyren
A dorrrwyd ar y maen,
Heb feddwl y pryd hynny
Wrth chwarae'n blant cyhyd
Y buasai'r tair llythyren
Ryw ddydd yn synnu'r byd.

Dwn i ddim pwy dorrodd y 'D.Ll.G.' gwreiddiol – tybad ai Lloyd George ei hun pan oedd o'n hogyn? Ond mae'r tair, a'r 'MP' a ychwanegodd Crysmas y Gof, i'w gweld yn eitha clir hyd heddiw ar glawdd y bont ychydig yn uwch na'r bwlch bach sy'n arwain i'r afon.

Mae J. Hugh Edwards yn deud fel y bydda David Lloyd George yn hogyn yn hoff o fynychu'r efail i wrando ar ddynion lleol yn dadla ac yn trafod. Mi all'swn inna ddeud i Lloyd George ddŵad at yr efail ymhen blynyddoedd lawar wedi i'r senadd gau – hynny ydi, senadd y pentra, yr efail – a hynny pan oedd plant y pentra yn chwara pêl-droed ar y ffordd o'i blaen hi. Mi ddaru ymuno yn yr hwyl trwy roi un gic dda i'r bêl.

Stori ddifyr ydi honno am Lloyd George yn dŵad â Churchill efo fo ar eu gwylia i Bryn Awelon unwaith. Ar gyrion y pentra dyma nhw'n cyfarfod Harri Jones, hen bartnar ysgol Lloyd George, y sonion ni amdano fo'n barod, a dyma Lloyd George yn cyflwyno'r dyn diarth.

'Yldi Harri, dyma Mr Winston Churchill,' medda fo.

'Ia, wn i,' medda Harri, a phwniad i Churchill yn ei fol efo blaen ei ffon. 'Tendia di o, Dafydd, un drwg ydio; dwi wedi darllan 'i hanas o yn *Y Faner Fach*.'

Harri Tŷ Newydd fydda'r hen bobol yn galw Harri Jones, yn ôl John Griffith Jones, neu Jac Ynysgain, sydd dros 'i gant oed erbyn hyn – am fod Harri wedi bod yn byw yn y tŷ hwnnw. Ia, cwlwm gwlwm reit ddiddorol, erbyn meddwl. Harri Jones a Lloyd George, y ddau bartnar ysgol, yn taro ar ei gilydd a'r ddau wedi bod yn byw yn Nhŷ Newydd yn eu tro, a Harri Jones yn frawd i Crysmas y gof ddaeth o senadd y pentra i dorri enw Lloyd George ar wal y bont.

Wyddwn i mo hynny, chwaith, nes deudodd Jac Ynysgain wrtha i. Mae co Jac yn well nag un llawar o bobol hannar ei oed o.

Criw'r Crown

Yn syth wedi i ni briodi yn 1953 (fel y crybwyllis i eisoes), mi aethon i fyw, Dora a finna, i'r Crown, Llanystumdwy – tŷ ar ochor y ffordd fawr, ac un tebyg iawn i'r llun o dŷ fydd plant yn ei dynnu ar bapur, un sgwâr efo dau gorn simdda un bob pen, tair ffenast llofft a dwy ffenast i lawr, drws ffrynt yn y canol, a libart neu ardd wrth ei dalcan.

Mi roedd hwn yn gyfnod eitha blodeuog yn ein hanes, gyda golwg ar gyfarfod gwahanol bobol, rhai yn ddiarth i ni. Ond dau yr oeddan ni'n gybyddus â nhw oedd Osborn Jones a'i wraig, Gwyneth, oedd yn byw yn y Gwyndy am y clawdd â ni. Roedd y ddau yn ein priodas ni yng ngwesty Ephraim Jones yn Nhremadog. Doedd Osborn ddim yn un hoff iawn un amsar o ddeud gair yn gyhoeddus, ond mi gododd y bora hwnnw yn Nhremadog ac mi ddeudodd air byr a buddiol. Dyma fo: 'Pan fyddi di, Wil, a Dora'n ffraeo, os gwelwch chi'n dda dowch allan i'r ardd i neud, er mwyn i Gwyneth goelio bod rhywun heblaw ni yn ffraeo,' ac mi steddodd i lawr.

William Osborn Jones oedd ei enw llawn, ei dad wedi enwi'r mab 'ar ôl Dybliw O. Jones, oedd yn weinidog yn Lerpwl'. Mae'n bosib bod yr hen ddyn ar un adag yn lled ddisgwyl i'w fab droi at y pulpud. Ond gwahanol iawn i hynny fu hanas Osborn. Y fo oedd yr hogyn fynnodd gael *Famous Ghost Stories* yn wobr am basio un o arholiada'r capal, pan oedd pob plentyn arall yn gorfod bodloni ar betha beiblaidd.

Blwyddyn gynhyrfus llawn prysurdab a halibalŵ oedd yr 1953 honno i ni yn y Crown. Rhaid oedd bwrw iddi rhag blaen i droi tŷ a gardd datws yn orsaf betrol. Blwyddyn o lythyru, o gysylltu a dadla oedd hon. Rhaid oedd cael caniatâd cyn dechra'r dasg. Doedd wiw symud carrag na rhoi caib mewn pridd heb ganiatâd y Twm Planing. Doedd dim amdani i ni ond 'mosod ar y tŷ a rigio dipyn ar hwnnw tra bydda'r myrdd awdurdoda yn llusgo'u sgrolia mewn swyddfeydd yng Nghaernarfon.

Yn y twniad yma, a ninna ynghanol y rigio, mi roedd gin i ryw gonsýrn ynglŷn â Mrs Williams-Doo. I gychwyn, roedd yr enw'n apelio ata i, ond yn fwy na hynny ro'n i'n darllan ei llythyra hi yn y papura lleol. Roedd Dora'r wraig wedi'i chyfarfod hi ond doeddwn i ddim. P'run bynnag, roedd Dora'n ymgeleddu llofft y ffrynt a finna yn y cefn, a phwy wela hi'n sefyll wrth y bŷs stop gyferbyn â'r tŷ ond y hi. A dyma waedd. 'Wil, brysia, ma Musus Wilias-Doo yn fama!' Ac mi roedd hi. Ond un gip sydyn gefis i arni hi: hi'n mynd i fyny a finna'n mynd i lawr. Wrth gyrradd y ffenast ffrynt yn fy ffrwcs, roeddwn i wedi rhoi un o fy hen draed mawr drwy un o blancia gwan y llawr ac i lawr â fi hyd at fy fforch. Na, doedd o ddim yn brofiad pleserus.

Ond hidiwch chi befo, mi ddaeth fy mraint. Cyn pen dim wedi'r godwm, daeth galwad ganddi hi ei hun yn gofyn awn i â hi a'i thrincets i Lanfrothen, a'i gollwng hi yn un o'r bythynnod claer wyn sydd ar y codiad ger y Garej. Mi siaradodd bob cam o'r daith – yn Gymraeg, siŵr gin i, er i mi gario'r syniad mai Saesnas oedd hi. Roedd ganddi hi farn reit bendant a doniol ar amrywiol byncia. Doeddwn i rioed wedi meddwl amdani fel dynas sasiwn, ond mi roedd hi wedi bod yn Sasiwn Caernarfon, medda hi, ac mi gymrodd o bont y Wern i Bortreuddyn i ddeud yr hanas. Roedd y pregethwr yn gweiddi gormod o beth dim rheswm, medda hi, gweiddi nes oedd o'n codi ofn arni hi. Roedd hi'n dal ar y Sanatogen er mwyn setlo dipyn ar ei 'nerves'.

⋆ ⋆ ⋆

Nid gwaith tridia oedd troi gardd datws yn garej. Na, nid swydd bleserus oedd torri twll wyth troedfadd o ddyfn, chwech o led a pheth oedd yn swnio ar y pryd fel deg o hyd, a hynny mewn daear galad efo ceibia a rhawia. Doedd yna ddim Jac Codi Baw i'w gael yn Eifionydd bryd hynny, er i un ddod i'r fro yn fuan iawn wedyn.

Mi faswn i wedi gildio, dwi'n siŵr braidd, oni bai i'r cryfaf a'r mwynaf o ddynion daro heibio. Morris Roberts, Muriau Mawr, Rhos-lan, oedd o, brawd i Guto Roberts yr actor. Mi dreuliodd Morris rai blynyddoedd yn gyrru bỳs dybl-dec yn Crewe, efo Mary, ei wraig o Wyddeles, yn condyctio. Eitha stori ydi honno amdano'n arbad deng munud ar ei siwrna ac yn dewis mynd o dan bont y rêl-wê. Ond roedd y bỳs yn rhy uchal, neu'r bont yn rhy isal: mi gafwyd clec go hegar i'r to a bu'n rhaid bagio rai llathenni. Yn ôl Morris, doedd to'r hen fỳs fawr gwaeth.

'Sut buo hi arnat ti?' medda fi.

'Ddaru mi un dim ond mynd i fyny'r grisia i'r llofft, pwniad reit dda efo nwrn ac mi gododd y tolc, a chlywis i ddim gair am y peth.'

Eleni, mi aeth llond bỳs mini ohonon ninna o Eifionydd

i Crewe ar gyfar c'nebrwn Morris, ac wrth siarad efo rhai o'i gydweithwyr mi ddaeth yn amlwg fod Morris Roberts yn dipyn o ffefryn yn eu plith.

I fynd yn ôl at y tanc petrol, roedd Morris yn un llawar mwy amcanus na fi ac yn un diguro am godi calon mewn twll. Ei sylwada ffwrdd-â-hi bob dydd fyddwn i'n weld yn ddoniol. Gwraig ifanc yn edrach yn syn arnon ni'n ceibio yng ngwaelod y twll ac yn gofyn, 'Sudachi bora 'ma?' a Morris yn codi'i ben ac yn atab, 'Reit dda, thanciw. Ydi pawb ar i fyny acw?'

Roedd golwg fel dau dramp arnon ni'n fuan iawn, ac yn gwaethygu wrth fynd i lawr i ddŵr a baw. Ac mi roedd yno fwy a mwy o ddŵr yn dŵad i'n cwarfod wrth i ni gloddio am ein bod ni'n nesu at lefal Afon Dwyfor, oedd o fewn canllath i ni medda rhywun.

'Ydach chi'n cael hwyl, hogia?' fyddan ni'n glywad ddega o weithia yn dŵad o'r top. 'Nag'dan, thanciw,' medda Morris, 'ond mi rydan ni'n cael llwyth o sbort.'

Tua diwadd y daith y cawson ni'r draffarth fwya. Ymlâdd yn trio cael carrag fawr drom i fyny o'r gwaelod roeddan ni trwy ei gwthio hi i ola dydd ar hyd planc mawr cry, ond pan oeddan ni bron â llwyddo roedd hi'n mynd o'n dwylo ni bob cynnig gan lithro'n ôl i'r dŵr budur wrth ein traed ni, er mawr boen i mi a difyrrwch i Morris.

Gan arbenigwr yn y maes codi cerrig mawr y cawson ni help, sef Bob Morgan, un oedd yn dal swydd gyfrifol yn adran priffyrdd y Cyngor Sir. Roedd gynnon ni, ymhlith petha erill, raff a throsol ar y top. Mi daflodd Bob y rhaff i lawr a gneud i ni roi tro ar ei phen hi am y garrag a'i chynnal hi ar y planc. 'Raid i chi ddim gwthio llawar, dim ond cynnal' oedd y comand. Roedd o wedi clymu pen arall y rhaff am y trosol, wedyn dyma fo'n ysgwyd hwnnw yn ôl a blaen fel petai o'n sgwlio cwch. A wir mi gafwyd yr hannar craig o garrag i'r wynab yn hynod o ddi-lol.

'Dŵr codi', yn ôl y gwybodusion, oedd ein gelyn ni ym mrwydr claddu'r tanc. Hwn oedd y pyblic nymbyr wan. P'run bynnag, trwy gymorth gras a phwmp Mr Schofield o Gaernarfon, mi drechwyd y dŵr, a thrwy fachu dolan craen benthyg o'r Port am ei wddw, cafwyd ein tanc uncorn crwn i'w wely a hynny'n daclus yn weddol hwyr ar nos Sadwrn.

Dora, y wraig, oedd tyst cyntaf yr atgyfodiad, a hynny ar y bora Sul drannoeth. Oedd, yr oedd ein tanc du crwn ni wedi llwyddo i godi cryn droedfadd yn uwch na'r wynab. Doedd ryfadd i Dora weiddi arna i, 'Wil, sbïa, mae 'na drên yn yr iard!'

Rhoi pwmp Mr Schofield ar waith fu raid drachefn: y pwmp yn chwyrnu sugno ar ei gyflyma yn un gornol i'r twll, a byddin o ddynion y pentra am y gora'n sieflio stwff llanw o'i gwmpas y munud y cyrhaeddodd o'r gwaelod, gan ddal i sieflio i'w geseilia nes bodloni ei fod o'n cysgu'n drwm y tro yma.

⋆ ⋆ ⋆

Mae un Noson Ffair Gŵyl Ifan yn dŵad i ngho i'r munud 'ma. Cael panad cyn troi am y llofft roeddan ni tua un ar ddeg y nos pan ddaeth curo ar y ffenast. Marshall Fox oedd yno yn wlyb fel sgodyn, a'r glaw yn peltio i lawr. Mi ddaeth i'r tŷ i ddiferu a deud ei stori.

'Gweld gola ddaru mi, Wili bach. Mi dalith Duw bach y Nefoedd i ti.' Wedi cael pynjar roedd yr hen frawd a'r peth cynta ofynnais i iddo fo oedd,

'Sgin ti olwyn sbâr?'

'Na, does gin i ddim ond pedair, Wili bach.'

'A dim pwt o sbêr?' medda finna.

'Na, ma gin i un o'r rheiny hefyd ond bod hi adra yn sied.'

'A beth am jac? Ydi hwnnw yn sied hefyd?'

'Nag 'di, mae o'n cysgu yn car – Jac Ifas, rwyt ti'n nabod o, Wili bach. Angal Nefoedd Duw wyt ti.'

Roedd yr Austin 7, y lleia o'r teulu i gyd, o fewn canllath i'r tŷ ac, am unwaith, roedd Marshall yn deud y gwir. Roedd Jac yno yn y sêt flaen a dau arall yn y sêt gefn. Wedi peth perswâd mentrodd Jac Ifas allan i'r ddrycin, ac wedi tynnu'r ddau gysgadur allan o'r cefn mi gododd ben ôl y Babi Austin gryn lathan i'r awyr gan ei ddal yn y fan honno i mi gael tynnu'r olwyn, a'i ollwng o'n ara deg drachefn i orffwys ar y lôn bost.

Gan nad oedd gin i ddim pwt o gwt ar y pryd, rhaid oedd trwsio'r pynjar yn y Gegin Bach. A llwyddwyd yn rhyfeddol yn sŵn yr hogia'n galw ac ochneidio a damio, bob yn ail â sathru traed ei gilydd wrth gicio'r teiar yn ôl i'w le ar yr olwyn. Mi gafodd ein llawr teils cochion ni fedydd lliwgar, a hynny'n wsnos oed. Do, mi gafodd Dora a finna ragflas, ar noson ein Ffair Gŵyl Ifan gynta yn y Crown, o'r hyn oedd yn ein haros ni am ddeng mlynadd a mwy. Ac mi gawson ni'n dau amal i bwl o chwerthin wrth ddynwarad Marshal a'i Wili bach a'i Angel Nefoedd Duw a'i ddiolch diddiwadd wrth i ni ddringo'r grisia'r noson honno.

Ymhen tipyn go lew o flynyddoedd wedi i mi daro ar Marshall, mi gefais y profiad o gyfarfod ei dad, a'i gael o'n fwy o Ffoxyn o dipyn na'i fab. Ro'n i'n chwilio am Landrover, ac mi ddeudodd rhywun fod yna un reit dda yn Nhyddyn Rhaint, Mynytho, a dacw fynd yno yn ddiymdroi. Roeddwn i'n gybyddus â Mynytho, ond doedd gin i ddim syniad ble'r oedd Tyddyn Rhaint, ond mi lwyddais i gael hyd i'r lle drwy holi hwn a'r llall.

Gorfadd ar balmant o flaen y beudy yn llygad yr haul oedd yr olwg gynta gefis i ar y Bonwr Fox, a phig ei gap dros ei lygaid. O'i weld o dipyn yn hir yn symud mi fentris roi un 'bib' ar y corn, a dyna big y cap i fyny a'r Ffoxyn ar ei draed. 'Disgwyl wrthat ti ro'n i, Wili bach,' medda fo bron cyn fy ngweld i. Wn i ddim sut roedd o'n gwbod fy mod i am alw, na sut roedd o'n gwbod be oedd fy enw i. Roedd y Landrover ar yr iard a phwcedad o ddŵr cynnas a brwsh sgwrio wrth ei hymyl yn achwyn ei bod hi newydd gael slempan sydyn.

Roedd yr hen fachgan ar binna isio deud wrtha i pam ei fod o am madael â'r Landrover: 'Traed Marshall sy'n rhy drwm, Wili bach, gyrru fel ffŵl rownd tro peryg a bob man.'

Fel yr o'n i'n agor y drws i gael golwg ar Landrover Mr Fox, dyma ddrws arall yn agor a Mrs Fox yn dod i'r golwg i grefu arna i i brynu'r hen wagan. 'Prynwch o wir,' medda hi, 'mae o'n mynd â'n pres ni i gyd am y petrol, llond jeri can i fynd i Pwllheli.' A dyna'r gath o'r cwd.

Un o lawar a fu'n driw i'n teulu ni yn y Crown oedd Richard Morris, ffariar oedd yn byw yn Nhyddyn Gwyn, Rhos-lan, yr union dŷ rydan ni'n byw ynddo fo ar hyn o bryd. Mi fydda'n galw bron bob bora amsar te ddeg. Ar ei foto-beic y gwelis i Richard am y tro cyntaf. Na, nid fel yna'n hollol chwaith – rhoi y New Imperial coch KF 6664 i orffwys ar glawdd y Gwyndy yr oedd o tra bydda fo'n mynd i olwg un o warthaig Osborn Jones, y ffarmwr.

Hen lanc, un ifanc di-briod yn byw efo'i dad a'i fam

oedd Pritch. Roedd ei fam yn darllan yn ddiddiwadd, yn Gymraeg a Saesnag fel ei gilydd, boed hwnnw'n sylwedd neu'n sothach. Caethiwus iawn oedd byw i John Pritchard, y tad, yr hen greadur yn llawn crydcymala, yn fusgrall sobor ac yn ara deg iawn yn symud, ond doedd dim gildio yn ei hanas. Cymydog ddeudodd ei bod hi'n 'cymryd awr a hannar i John Pritchard gerddad hannar milltir'. Wn i ddim, ond mi wn i'r postman daro ar yr hen fachgan a'i wraig yn dadla'n ffyrnig ar yr iard o flaen y Tyddyn: hi yn dal allan ei fod o'n crwydro gormod ac yn esgeuluso'i fân ddyletswydda, a fo, trwy gymorth ei ffon, yn troi i'w hwynebu ac yn deud yn Saesnag, o bob peth, 'You don't know the value of a good husband.'

Eglwyswr oedd o, ac un bora Sul ar y ffordd o'r oedfa English Unarddeg, mi welodd Mr Theobold, Plas Trefan, a'i locsyn pig yn dod i'w gyfarch o'r tu ôl dros ei ysgwydd, ac medda JP yn ei ddychryn, 'Ddylies i'n siŵr mai bwch gafr oedd y gŵr bonheddig.' A stori reit smala ydi honno am y twrna yn y cwrt ym Mhorthmadog yn gofyn pwy oedd yn dod â 'these allegations against this man', a John Pritchard yn ateb, 'I am the alligator.'

Ond sôn am Richard, y mab, o'n i. Mewn coleg yn Lerpwl y buo fo'n dysgu mynd yn ffariar, ac yn ôl pob sôn mi gafodd amsar i'w gofio yno. Mi brofodd rialtwch nas gwelodd o ei debyg na chynt na chwedyn, reit siŵr. Mi ddaeth i Ros-lan ar ei wylia coleg unwaith mewn plys ffôrs. Ac un waith oedd ddigon. Doedd o ddim yn gweddu yn Eifionydd.

Oedd, mi roedd o'n ddyn crwn ei ddiddordab, yn saethwr da ac yn sgit am wningen. Lawar gwaith y clywis i o'n fy ngwâdd i bysgota yn y Ddwyfach yn ystod llifogydd Awst: 'Mae 'na li da, was, un coch fel coco.'

Gan fod Afon Dwyfach mor agos i Dyddyn Gwyn, cerddad at yr afon oedd y drefn, a Pritch yn smocio tair Pleran ar y ffordd. Welis i rioed mohono fo heb ddau bacad ugian, un ym mhob pocad. Er iddo fo fy nhywys i i'r pylla gora, y fo fydda'n llwyddo i ddal. Eithriad fawr fyddai i mi ddal pysgodyn, ond mynnai rannu ei ysbail efo fi bob tro. Fuo mi ddim llawar efo fo yn ystod y dydd. Llawn gwell gin i fydda mynd i'w ga'lyn o i bysgota yn ystod y nos, am nad o'n i'n teimlo'n euog o ddwyn oria gwaith, mae'n debyg. Yn Afon Dwyfor, mewn pwll ger Dynanau, y bydda Pritch fwya wrth ei fodd, ac yn y pwll y bydda fo'n dal. Go anamal y gwelid o'n dŵad adra heb wniadyn, a hwnnw'n un go nobl.

Waeth pa mor hwyr fydda hi arnon ni'n cyrradd y Tyddyn, rhaid fydda aros i swpar. Byw ei hun oedd hanas Pritchard erbyn hynny, yr hen bobol wedi'u claddu ers blynyddoedd. Bwrdd dipyn yn feddw oedd bwrdd ei gegin, bwrdd hefo un goes yn rwla o gwmpas ei ganol, a'r goes honno â natur gollwng ei gafal. Gyda bod y wledd wedi'i gosod, mi fydda'r hen frawd yn rhuthro i ista ar ei stôl a chroesi ei goesa nes bydda'r pen glin uchaf yn rhwystro'r bwrdd rhag dod i lawr, gan forol cadw ei benelin ar ei wynab rhag iddo fo godi. Mi clywis i o'n deud droeon, 'Ma'n hen bryd i mi fynd i rwla i chwilio am fwrdd a hynny cyn i'r blydi llestri 'ma fynd yn deilchion.'

Ni ddaeth awr prynu bwrdd. Ond chwara teg iddo fo, mi brynodd foto-beic gin i, a char newydd sbon. Dau gar newydd werthis i rioed, a fo brynodd y cynta.

Roedd o'n galw acw am betrol tua deg o'r gloch un bora

Sadwrn, ac yn llawar mwy tawedog nag arfar ac yn cwyno am yr oerni. Ymladd i roi ei gôt fawr amdano ar yr iard yn y Crown ydi'r llun sy'n aros yn fy meddwl i. Methu cael hyd i'r ail lawas yr oedd o. 'Dyro hwb bach arall iddi dros f'ysgwydd i, gwael,' dyna'i eiria dwaetha fo cyn canu corn y Ffordyn a diflannu o'r golwg. Am chwartar wedi hannar dydd, daeth acw negas ffôn o ffarm Bwlch Gwyn ar Fynydd Cennin bod y ffariar wedi marw. Oedd, roedd colli Pritchard yn dipyn o sgytiad i'r wraig a finna, ac yn fwy byth o ddychryn i Mair, y ferch, oedd yn bump oed ac yn meddwl y byd o Yncl Pritchard.

Un arall gwerth ei nabod oedd Griffith John Jones, Tan yr Erw, Llanystumdwy. Torri ar gerrig beddi oedd gwaith Griffith John. Mi fydda yno ddwy neu dair o gerrig ar hannar deud eu stori i'w gweld y tu allan i'r tŷ a'r gweithdy.

Ro'n i angan cwt yn y chwedega, ac ar ôl iddo fo ymddeol mi werthodd ei weithdy i mi, a hynny am bris rhesymol iawn. Ugian punt ofynnodd o amdano. Cwt pren wedi'i bowltio i'w gilydd yn ochra, talcenni a tho oedd hwn, a hynny'n ei neud yn un hawdd ei ddatgymalu a'i lwytho i Dylan, fy nai, a minnau. Roedd ganddo fo gebl drydan dew yn dod i hwn o'r tŷ a dyma Dylan, yn ddoeth iawn, yn codi'i ben a gofyn oedd hon yn gebl fyw.

'Ydi,' medda Griffith, 'honna fydda'n troi y drul i mi ersdalwm. Mi ga' i warad â hi ichi reit handi.' Ddaru o ddim mynd i'r tŷ i roi'r bodyn trydan i lawr. Na, cymryd siswrn barbio ddaru o a'i thorri hi yn y fan a'r lle. Do, mi gafwyd fflach, un liwgar. Ddaru Griffith un dim ond gwenu, a bron nad oedd o yn erbyn i ni gael mynd i'r tŷ i neud yn siŵr fod y trydan wedi marw. Ta waeth, ma'r hen gwt yma yn Nhyddyn Gwyn bellach ers dros ddeugian mlynadd. Gwenu bydda inna heddiw wrth edrach arno fo, gan gofio am Griffith John a'i siswrn barbio.

Ymhen blynyddoedd wedyn tarodd Dylan ar y torrwr cebl yng Nghricieth. Ddaru o ddim sôn am y torri. Go brin ei fod o'n cofio am hwnnw. Wn i ddim oedd o'n cofio Dylan chwaith. Ond mi oedd o'n cofio'r fargan gafodd o yn y chwedega, ac yn dal i ganmol y fath 'strôc' oedd o wedi'i neud. 'Mi werthais yr hen gwt i Wil Sam am *twenty pounds*, a dim ond *five pounds* o'n i wedi dalu amdano fo. Ia, y *five pounds* o'n i wedi ga'l yn *first prize* yn Steddfod Genedlaethol Pwllheli 1925 am dorri ar lechan.' Oedd, mi roedd o'n hapus ac mi ro'n inna'n hapus.

Doedd yna fawr fwy na chanllath rhwng y Crown a'r fynwant, a bydda Griffith yn dod yno o dro i dro i weithio ar amball garrag neu i ailosod y peth fydda fo'n ei alw'n 'gyrban'. A galw arna i am help llaw wnâi o bob tro. 'Dau funud fyddwn ni,' dyna fydda'r gân. Cyrn y Crown yn canu am betrol yn un pen, a Griffith yn y pen arall yn erfyn arna i i ddal cyrban drom 'am ddau funud bach eto', a'r ddau funud yn mynd yn nes i bump a'r daliwr heb law rydd i gosi'i drwyn. Roedd angan dyn calad iawn i wrthod yr hen Dan yr Erw.

Mi fydda'n deud petha anodd i'w credu amball dro. Mi ddeudodd wrtha i unwaith fod injan dân anfarth wedi dŵad i'w gwarfod o ffwl sbîd, a'r clycha'n canu a dau o lafna'n codi'u breichia. 'Ia, yn y lle cul 'na wrth ben bedd Lloyd George. Chefis i ddim ond troi i adwy Tŷ Newydd na faswn i'n gelan o danyn nhw.'

Mi brynodd fan A35, un newydd sbon, un lwyd. Roedd yn Eifionydd, a Llŷn hefyd, ugeinia o fania llwydion 'run fath â hon. Mi beintiodd Griffith do ei un o yn las llachar er mwyn iddo fo fedru'i nabod hi mewn maes parcio.

Roedd o'n hoff iawn o liwia. Ymhell cyn bod sôn am deledu lliw, mae gin i go am y dyn yma'n dŵad â gwydr lliw pinc gwan i mi, tua chwe modfadd sgwâr. Dim ond i mi edrach ar fy nheledu du a gwyn trwy hwn, mi gawn i deledu lliw reit dda, medda fo. Wnâi o ddim cynnig edrach ar ei set deledu fo'i hun hebddo fo. Mi rois inna gynnig arno fo ond fedra i ddim deud fy mod i wedi profi fawr iawn o effaith y diwygiad, er i mi ddal y gwydr pinc o fewn modfadd i nhrwyn *ac* o fewn hyd braich.

William Henry

Co reit dda gin i am ryw hen fachgan – hen fachgan, medda finna, a doedd o fawr hŷn na fi – William Henry Griffith oedd 'i enw fo, yn galw yn y Crown a do'n i ddim wedi'i weld o ers dyddia ysgol. Mi oeddwn i'n digwydd bod reit brysur efo petrol a ballu ar y pryd, yr ha oedd hi hwyrach, a dyma fo'n deud wrth Dora'r wraig mai isio ngweld i oedd o.

'Dwi reit brysur munud yma, Wil,' medda fi, 'mi ddo i atat ti munud.'

'Iawn, mi arhosa i,' medda fo, ac mi arhosodd yn o hir hefyd. Mi ges afael yn rhydd toc, a dyma fi ato fo.

'Oeddat ti isio ngweld i?'

'Oedd,' medda fo. 'Fasa well i ni fynd trwadd? Mae'n bwysig iawn.'

'Iawn,' medda fi ond wyddwn i ar y ddaear trwadd i be. Mi o'n i'n dechra meddwl bod 'na rwbath mawr ar ddod.

'Trwadd i gael sgwrs,' medda fo.

'Wel ia, iawn.' Ac mi es â fo i'r tŷ, i ryw hen gegin bach ond doedd honno ddim yn plesio – mi ddeudodd y busnas 'trwadd' 'ma wedyn, ac i'r parlwr aethon ni.

Dyma'r hen William yn gosod ei hun fel rhyw dad Fictoraidd â'i gefn at y grât. 'Wedi galw rydwi, dwi'n gwbod cawn i gyngor iawn gin ti,' medda fo wrtha i. 'Ma gin i dipyn o boen ar fy meddwl.'

'O, bedi'r boen?' meddwn inna, ac mi gymrodd ryw saib Binteraidd hir cyn deud dim byd. Ond dyma fo allan toc.

'Dwi . . . dwi . . . mewn dipyn o benbleth. Dwi 'di cael cynnig beic gin Miss Pugh . . . '

'O, Miss Pugh?'

'Ia, Miss Pugh, Ynysgain.' Mi oedd hon yn dipyn o ryw wraig fawr yn y lle 'ma – plasdy bach oedd Ynysgain Bach. Helo, medda fi, mae 'na rwbath ar dro gynno fo.

'Wel ia, dydi hynny ddim llawar o broblem,' medda fi. 'Cymra fo ar bob cyfri os wyt ti'n licio fo.'

'Wel ia,' medda fo wedyn, ac yn rhyw fwnglera'n hir, 'ond ti'n gweld, ma beic 'y nhad i ddŵad imi hefyd.' Mi o'n i'n gwbod am 'rhen feic hwnnw'n iawn, hen Humber efo fforch flaen ddwbwl. Mi fydda gin yr hen fachgan, John Griffith, hen goliwog bach ar y lle dal lamp bob amsar – hwnnw o'n i'n dychmygu oedd y beic oedd i ddŵad.

'Methu gwbod p'un i gymyd wyt ti?' medda fi.

'Wel ia, mwy na heb. Ma'n ddrwg gin i dy boeni di ond dwi'n methu'n glir â dŵad i benderfyniad be wna i' – rhyw ffurfioldeb mawr felly, ac mi fuo'n siarad yn hir iawn iawn.

Mi oedd 'Mi ddeuda'i wrthat ti 'mhoen' yn dŵad i fyny bob munud ac mi aeth ymlaen i restru beia a rhinwedda'r naill feic a'r llall, a finna erbyn hyn wedi colli dipyn bach bach o ddiddordab yn y sgwrs ac ym mhanic 'rhen William.

Cofio Wil yn hogyn yn 'rysgol o'n i, gwta ddwy flynadd yn hŷn na fi. Fo oedd yr heliwr cardia sigaréts gora yn y lle. Os oeddwn i a llawar 'run fath â fi yn fyr o gardyn neu ddau yn eu set o hannar cant – y 'series of fifty' oedd hi'r adag honno – dim ond mynd at William Gruffudd o Benygroes Llanystumdwy, ac mi gâi pawb ei achub. Roedd Wil fel y banc ond ei fod o'n rhoi dwbwl y llog. Mae arna i ddylad oes i hwn, 'tasa fo ddim ond yn dŵad at ei destun. Yn rhyfadd iawn mae o o gwmpas yr unig un o'm cyfoedion i na welis i ddim lliw ohono fo o ddyddia ysgol tan y dwrnod hwnnw. A dyna fo, mor ddisymwth mae o wedi codi, sefyll yn fy mharlwr i â'i gefn at y grât.

Ond tydw i'n ei gofio fo'n reidio beic pan oedd o'n gweini ffermydd, ac yn ei reidio'n reit urddasol hefyd, ac Elin, ei gariad o'r adag honno, yn gafal yn y sêt ac yn trotian tu ôl iddo fo. Chafodd neb well gwraig na Wil, na'i thlysach hi chwaith, efo bocha cochion a'i dau lygad yn pefrio. Bob pnawn Mawrth y byddwn i'n cael y plesar o'i chlywad hi'n mynd trwy'i phetha. Disgwyl i'r plant ddŵad o'r ysgol yr oeddan ni er mwyn iddi hi gael mynd i mewn i neud ei gwaith – llnau a ballu. Codi Elin, y ferch, byddwn inna. Syndod gymint o betha fydda gynni hi i ddeud mewn pum munud neu ddeg, a'i llais hi'n fy ngorfodi fi i wrando arni. Ac er mor blwmp a phlaen oedd hi yn ei phetha, roedd hi yn llygad ei lle yn y rhan fwya o lawar o'r petha hynny.

'Da bo chdi, Wil, wela i di dydd Mawrth,' – dyna fel deuda hi bob tro pan oedd hi ar gychwyn o'no. Roedd y twr merchaid wrth yr ysgol yn dechra ama bod rwbath rhyngon ni.

Fuo bron i mi anghofio am William a'i ddewis feicia. Ei gynghori o i fynd ar ei union i Blas Ynysgain ddaru mi, a bachu beic yr hen Miss Pugh, a'i beri o i wynebu derbyn neu wrthod beic John Griffith, ei dad, pan ddeuai'r galw. Wir, ar y funud fel hyn, fedra i ddim cynnig cofio pwy oedd y cynta i gael ei alw, p'un ai y fo ynta'r tad, ond mi dwi'n cofio i William druan gael gwaeladd go hir.

Doniol braidd oedd o yn ei waeladd. Hawdd iawn gin Robat Thomas, Cae Coch, fydda galw heibio fo ar nos Sul tra bydda Elen, ei chwaer o, yn y capal. Wil yn ei wely a Robin yn sefyll fel soldiar wrth yr erchwyn. Toc, o ran tipyn o gwrteisi a chydymdeimlad diffuant iawn â'r hen gyfaill ysgol, dyma Robat Thomas yn gofyn sut oedd o'n teimlo. Yr atab gafodd o o rwla rhwng y gobennydd a phost y gwely oedd, 'Stedda Robin Cae Coch, wir Dduw, ne mi hitia i di!'

Yn y pumdega gynt yn y Crown, ro'n i'n gweld gin Wil ormod o fyda o lawar ynglŷn â'r sgregyn o feic. Mi oedd o wedi aros wrtha i am hydoedd fel 'tasa fo'n aros i weld doctor, ac wedyn wedi fy nhynnu i 'trwadd', chadal onta – a'r holl ffurfioldeb dros beth cyn lleiad â beic. Ond mi rydw i'n dallt dipyn gwell erbyn hyn. Ydw, dwi newydd fod yn clirio llond llofft o feicia o dŷ cyngor yn y Penrhyn, a'r rheiny'n rhai reit ulw hen hefyd, ac mi fydda i'n mynd i'r cytia 'ma i gael sgwrs gall efo nhw bron bob dydd.

Beics

Yn sgil beic, moto-beic neu gar y bu i mi ddod i nabod ugeinia o bobol. Oni bai amdanyn nhw mi faswn i'n teimlo braidd yn unig. Siawns nag ydi hynna'n gyfiawnhad am gynnwys hanas dyn a'i feic ymysg y 'mân bethau hwylus', a rhoi lle anrhydeddus i feics, moto-beics a cheir ymysg y 'cymêrs'.

'Dandy' o siop Mr A. W. Gamage, Holborn, Llundain, oedd y beic cynta un i mi gael deud mai fi oedd pia fo. Mi fydda plant hŷn na fi yn gofyn i mi byth beunydd, 'Bedi mêc dy feic di?' a hynny er mwyn iddyn nhw gael hwyl am fy mhen i'n swancio deud 'Dandi Di Lwcs' – ei enw iawn o, 'laswn i. Nhad oedd wedi mynd i'w bocad i brynu hwn i mi, a hynny ar y dwrnod cynta un iddo fod adra ar ôl pum mlynadd ar y môr. Y dwrnod cynta oedd pia hi i ddechra swnian am bresant, fasa fo ddim mor barod i ymatab mewn wsnos neu ddwy. Balch o weld ei blant oedd y llongwr.

Roeddwn i wedi edrach ymlaen am gael reidio'r Dandi o sdesion Cricieth, ond siom gefis i: roedd 'na ryw lolyn o Holborn Hyll wedi bod yn mela efo fy meic newydd i, a mynnu troi'r ddwy badlan tuag at i mewn. Felly dyma'r gêm drosodd, doedd gin i un man i roi fy nhraed. Powlio'r beic bach fu raid, a doedd hynny mo'r peth hyfryta efo deg o ferchaid rhes Cae Llwyd yn y drysa'n rhythu arna i pan gyrhaeddis i'r pentra.

Waeth yn y byd befo neb na dim, mi lwyddodd yr hen ddyn i ailosod y ddwy badlan, ac mi fasa wedi llwyddo yn llawar cynt petai o wedi clywad am sgriw chwithig.

Gan mai beic 'ffrâm agored' oedd hwn, mi osodis styllan styrdi i'w chau, o beipan y cyfrwy i'r corn gwddw. Beic hogyn oedd o wedyn, ac mi o'n i'n medru cario Emw, fy mhartnar, arno fo i bob man.

Emlyn oedd ei enw iawn o, William Emlyn Jones. Bu'n rhaid iddo fo fynd i'r rhyfal ymhen blynyddoedd a chafodd o ddim dŵad yn ôl. Gwnaed cyfarfod coffa iddo fo yn y capal, un trist iawn. Doedd neb yn siŵr iawn beth i'w ddeud: tueddai pawb, naill ar ôl y llall, i ddeud bod Emlyn wedi 'colli'. Crynu yn fy sêt ro'n i, crynu fel deilan wrth weld Gwyn, fy mrawd, yn cynhyrfu yn y sêt fawr. Mi wyddwn y coda fo, ac mi ddaru. Dyma ddeudodd o, dim ond hyn: 'Nid colli ddaru Emw, cael ei ladd ddaru o.'

Mi wnes i drelar bach eitha twt i'w fachu tu ôl i'r Dandi. Bocs pren cry ar ddwy olwyn coits bach oedd hwn. Ro'n i wedi medru'i orffan o hyd at y llorpia a'r ddolan i'w fachu o wrth y beic. Yng ngweithdy Robat Robaits ('Taid Cnoi'), Felin Bach, y cefis i ddwy lorp.

'Faint sy arna i?' meddwn i.

'Chweugian neith tro'n iawn,' medda'r hen gena.

Wedi gweld cornal y papur coch yn sbecian o fy nwrn i roedd o, siŵr iawn. Rhag 'i gwilydd o a fonta'n flaenor mor barchus efo'r Annibynwyr yn Capal Bach. Mi ddeudodd Doctor Tudur Jones, Bangor, wrtha i ei fod o'n cofio dannadd top y Roberts yma'n powlio i'r blwch wrth iddo fo hel y casgliad. Iawn â fo, ddeuda i, am iddo fo gipio fy mhapur chweugian dwaetha i – ydw, mi rydwi'n falch o gael cynnwys y stori fach yna am mai Tudur glywis i'n ei deud hi, a hynny yma yn Nhyddyn Gwyn, y tŷ lle ganed o. P'run bynnag, mi ddaru'r Dandi a'r trelar wrth ei gwt amal i ddydd o waith i mi. Sawl llwyth o goed tân ddaru ni gario o goed y Gwfryn? Ugeinia.

Roeddan ni'n cael helpu'n hunain i goed tân o'r winllan gan Mrs Canon Lewis. Yno'r o'n i, yn naw neu ddeg oed yn smocio Wdbein ac yn cymryd pum munud, pan welis i Dylwyth Teg, os teg hefyd. Un eitha hyll welis i'n dŵad i'r golwg o'r brwgaij, un o dylwyth y rhai drwg decini. Mae 'na rai da a rhai drwg. Tylwyth Teg *da* oedd rhai Ystumcegid. Gawson nhw fenthyg radall at neud torth geirch gan y teulu, a phawb yn deud 'welwch chi mo'ch radall'. Ond yn ei hôl y daeth hi, a thorth dlysa rioed i'w cha'lyn hi. Dyna fi'n crwydro yma ac acw, ond dacia, crwydro yma ac acw ydi diban beic.

Welis i rioed mo Mam ar gefn beic ond roedd hi wedi prynu un pan oedd hi'n ferch ifanc, ymhell cyn iddi briodi. Royal Enfield a llun gwn mawr ar ei olwyn gêr o oedd hwnnw. Wilias Llwyn Annas, Chwilog, gwerthodd o i Mam am chwephunt. Beic da iawn, medda hi, a beic doniol iawn, medda finna, efo câs du a ffenestri ynddo fo yn gwarchod y tsiaen. Gorffwys ar un o furia'r coetsiws yn Nhy'n Llan fuo'i hanas o am flynyddoedd. Roedd dyn Llwyn Annas siŵr o fod yn un â llygad am feicia da, mi ddaeth yn ei flaen yn y byd ar chwap. Cadw garej y Three Arches yn gwerthu Rolls Royces a Bentleys yng Nghaerdydd y clywis i ei hanas o ddwaetha.

Fy nhaid brynodd y Royal Enfield i Mam, er mwyn iddi'i gael o i reidio yn ôl ac ymlaen o Bont Fechan i Fron

Eifion pan oedd hi'n forwyn yn y fan honno. Tua'r adag yma y bydda hi'n cael ei phoeni gan ryw hen Berson Eglwys oedd wedi ymddeol. Owen Owens oedd ei enw fo, roedd o'n byw efo Ann, ei chwaer, yn rhes Maen y Wern. Cyn wiriad â gwela fo Mam yn gwibio heibio ar ei beic tuag adra, mi fydda fonta'n cerddad bob cam i gael te pnawn efo hi yn y Bont. Dyn bychan 'clean shave' oedd hwn ac mi osododd Mam gwpan mwstash o'i flaen o unwaith. Mi dofwyd o o dipyn i beth, ac mi gafodd hitha lonydd.

Mewn blynyddoedd dipyn yn ddiweddarach na dyddia'r Dandi y daru mi ddechra etifeddu hen feicia fy mrawd, Elis Gwyn. Tebyg iawn oedd hanas ein *dillada* ni. Leiasod, teilwriaid y Post, a John Cartwright a'i fab, Wili, bob yn ail fydda'n gneud siwtia i mrawd, a'r munud y bydda fo'n tyfu drwyddyn nhw – a hynny'n rhy fuan o lawar – mi fyddwn i'n eu parêdio nhw ar ei ôl o. Doedd dim 'gwisgo allan' yn hanas y rhain, y brethyn gora a'r stiffia. Fyddwn i ddim yn cyboli plygu'r trywsus na'r crysbas cyn mynd i ngwely, mi safa'r ddau yn eu hunion syth ar lawr y llofft fel 'tasan nhw amdana i. Dro arall dwi'n cofio gwisgo top-côt a chap o waith Mrs Alice Evans, y wniadwraig. Doeddwn i ddim yn malio mynd i olwg pobol yn y gôt, ond mi daflais y cap i'r afon – roedd hwnnw'n llawar rhy grand a rhy fawr i mhen i. Gwaetha'r modd mi ddaeth hanas taflu'r cap i glustia Nain. Oedd, roedd fy nain yn credu mewn colbio, ac yn medru colbio, ac mi ddaru golbio. 'Gwrdysu' oedd hi'n galw'r gorchwyl, chlywis i neb ond Nain yn deud y gair. Wn i ddim ble dysgodd hi'r grefft chwaith, os na ddaru hi yng nghyffinia Mynydd y Cennin. Un o'r fan honno oedd hi.

I ddŵad yn ôl at y beicia, roedd y Dandi wedi hen fynd i gadw a finna'n dod yn berchen hen feic fy mrawd – ia, Gamage eto byth. Roedd o, Elis Gwyn, wedi cael beic newydd o Garej y Pandy, Chwilog. Beic eithriadol o gry ac eithriadol o drwm, efo fforch flaen ddwbwl a phump o ddynion bach yn cydio yn nwylo'i gilydd yn yr olwyn gêr.

Methu dŵad i ddallt ein gilydd fuo hanas y Gamage a fi, rhyw biff o'r newydd yn dŵad i'w ran o bron bob dydd: y corn gwddw'n blocio'n ddirybudd, blocyn brêc yn dewis cloi rhwng dwy sbocsan a nhaflu i, a'r tsiaen yn dŵad oddi ar y dannadd bob hyn a hyn. Dyma benderfynu mai gwahanu'n dawal cyn ffraeo oedd ora i ni.

Mi ddaru mi ddoctra dipyn ar y Gamage a mynd â fo am dro i Chwilog at Mr Henry Jones, Garej y Pandy, gan obeithio cael ei newid o am Rudge. Doedd gan Mr Jones ddim Rudge yn y fan a'r lle ond mi rôi o delera reit dda i mi pe ffeiriwn i am Humber. Mi ddeudis i, yn llanc garw, fod un Humber yn ffyl digon yn tŷ ni. Chwerthin ddaru Harri Jôs a nghymall i fynd adra i feddwl dros y peth. Ro'n i wedi meddwl, a des i ddim adra. Mi gofis am sgets o'n i wedi'i gweld yn y Garn, a hogan, Olwen, yn deud drosodd a throsodd, 'Mi fasa'n well gin i gael lolipop.' Mi es inna'n ôl at Mr Jones a deud, os nad oedd yn wahaniath mawr gynno fo, y basa'n llawar gwell gin i gael Rudge. Chwara teg iddo fo, mi fuo'r dyn yn deg iawn efo mi, mi ddaru o lwyddo i neud bargan deg i bawb – roedd o am lwfiad punt i mi yn erbyn y Rudge, ac mi ddaru ni ysgwyd llaw a chytuno. Roedd o am roi gwbod i mi pan gyrhaeddai'r beic newydd. Ac mi ddaru.

Ond, erbyn hynny, bu datblygiad. Ar y ffordd i lan môr Ynysgain roedd giât, fydda'n arfar bod bob amsar ar agor led y pen, wedi cau ac mi aeth y Gamage ar ei ben iddi a finna drosti. Ro'n i, diolch byth, yn symol gyfa, ond mi roedd yr hen feic wedi brifo'n arw a'i fforch flaen erbyn hyn fodfeddi yn nes i'r olwyn ôl. Am Chwilog yr es i, gora medrwn i. Bob oedd enw'r dyn welis i yno, dyn byr yn smocio piball fyrrach ac yn medru siarad heb ei thynnu hi o'i geg. Wedi i mi ddeud fy negas mi ddaru fy nychryn i braidd. Roedd hi'n gynhebrwng ar Harri Jôs, medda fo, ac os bydda fo, Bob, yn cymryd y Gamage, ar 'y ngora y cawn i goron amdano fo.

Ond mi ddoth Mr Jones o'r fynwant yn holliach, ac mi fuo'n decach na theg efo fi: mi gymerodd y Gamage cloff ac mi gefais inna bunt amdano fo. Ac ymhen tridia mi ro'n i'n berchen y Rudge Whitworth smartia welodd dyn byw, un du efo streipan wyrdd fain. Mi fuo hwn yn was ufudd iawn i mi am flynyddoedd maith. Hyd yn oed wedi i mi fentro i fyd y moto-beics, ddaru mi ddim madael â fo. Yn hytrach, mi ddaru mi ei oelio a'i seimio fo a'i roi i gadw mewn cwt sych a'i draed i fyny.

Mae crybwyll y Rudge Whitworth yna'n fy atgoffa i am aelod sgleiniog arall o deulu parchus y Rudge. Yn ein *Ffynnon* ni, papur bro Eifionydd, rhifyn Mai 1994, y cawn ni ei hanas gan Dyfed Evans, perl o hanesyn am Rolls Royce o feic, un o oreuon y pedwardega. A difidend, greda i, ydi cael dal i syllu ar y llunia o Eryl Jones, ei berchennog, yn ei gynnal. Fel'na, yn sgil ei feic, y dois i i nabod Eryl hefyd.

Fel hyn y mae Dyfed yn gorffan stori'r Rudge. *Pechod* fydda peidio'i gynnwys yn y fan yma – wir, mae hwn yn fiwsig yng nghlust hogia beics:

Fe gafodd Eryl Jones y saer ei Rudge Whitworth 1947 yn

anrheg gan ei fodryb y flwyddyn honno ac yntau'n 17 oed ac ar ddechrau gweithio. Fe gostiodd £27, oedd yn swm sylweddol yr adeg honno. Mae wedi bod yn eiddo iddo ers hynny ac yn rhedeg fel wats. Dim ond padlan newydd fu'n rhaid iddo osod arno. Faint o feiciau newydd heddiw fydd yn dal i redeg yn 2041?

Cymryd rhan yn un o hannar cant wnaeth Eryl a'i feic i gael ei lun yn y papur bro, a chodi arian at achos teilwng iawn oedd yr achlysur.

Arferai criw dipyn llai na hannar cant o ardal *Y Ffynnon* fynd ar daith fisol ar y Sadwrn un amsar. Mae'r nifar wedi gostwng erbyn hyn, ond mae yn ein mysg rai sy'n dal i fentro allan pan ddaw'r blys. Er bod y cof yn pallu mae amball atgof yn dod heibio yn awr ac yn y man, ac amball un yn ddigon smala.

Y Sadyrna hynny, pur anaml y gwelid Gwilym o Lanystumdwy yn y gynffon (nid ein bod yn rasio na dim o'r fath), ond sylwodd rhywun yng nghyffinia Tai Duon nad oedd golwg ohono fo. Ond toc dyna fo'n dŵad i'r golwg, yn dal i reidio efo hannar llyw. Na, doedd yr hogyn ddim wedi cael tymblan, chlywyd erioed am Gwilym yn codymu, a phur anaml y bydda fo'n dod oddi ar ei feic ar elltydd. Ond os ydw i'n cofio'n iawn, wedi aros i dynnu llun o'r wlad o'i gwmpas yr oedd yr hogyn ar ben un allt ac yng ngodra'r llall. Roedd pawb arall wedi gorfod cerddad honno, wrth reswm – pawb ond Gwil. Ei reidio hi ddaru o yn ôl ei arfar, gan rannu'r ymdrech deg rhwng ei goesa a'i freichia. A'r breichia a orfu. 'Fel yna'n syml iawn y daeth yr handlen fach yn ddwy.' Biti na fasan ni wedi bod yn ddigon bachog i dynnu'i lun o'n dŵad i'r golwg, yn cario hannar llyw efo un llaw ac yn reidio efo'r llall.

Daeth dyn diarth o Bwllheli efo ni ar y teithia unwaith

neu ddwy. Mi gymerodd Elis Edwyn, ffarmwr wedi ymddeol, ato fo munud y gwelodd o fo a dechra'i holi cyn i'r cradur gael ei draed ar y ddaear. Ond mi 'rafodd un briwsyn wedi i'r mwynaf o ddynion, John Lodge y Gwfryn, ddeud dros bob man yn ei glust ger Ffynnon Gybi, 'Dyro gora i'w holi fo, wir Dduw – twrna ydi'r dyn.'

Roedd, ac mae, gan John feddwl chwim a diddorol. Pan dorrodd tsiaen beic Dafydd Llanarmon ymhell o gartra, y fo, John, dorrodd ddarn o gortyn coch oedd yn cau llidiart cae yn Rhos-lan a thywys Dafydd step bell at ei gar. Pe digwydd i chi weld golygfa fel'na, rhowch eich sylw bob tro i'r un sy'n cael ei dywys. Mae o'n ddigri – ei goesa'n llonydd, ei fraich yn dal cortyn uwch ei ben, a'i gefn yn syth fel procar.

Ann o Lŷn

Dyma fi'n cofio'n sydyn am hen wreigan fach go arbennig. Ann Gruffudd oedd ei henw hi ond Ann o Lŷn oedd hi'n galw'i hun. Mi gefis i gryn dipyn o'i chwmni hi pan oedd hi'n howsgipar yng Nghefn Ucha, Rhos-lan, felly roedd hitha'n un o gymeriada Eifionydd i mi. Dynas fechan oedd hi, yn symud yn fân ac yn fuan ac yn siarad felly hefyd, braidd drw'i thrwyn. Bocha cochion, yn gwisgo du bob amsar, cap toslyn du am ei phen, a phan fydda hi'n troi allan yn y pen dwaetha – a hynny'n bur amal – mi fydda'n gwisgo cêp ddu laes dros y cwbwl a honno'n cyrradd 'dat dopia'i socs bach gwynion hi.

Mi fydda'n reidio beic, BSA gwyrdd, un reit newydd efo streipan las lliw eiran. Mi gymra yn ei phen amball bnawn i neidio ar y beic a mynd heibio 'Dewi Wyn' i'r Garwan a 'Robat Ddu', chadal hitha, i'r Betws. Ar un o'r teithia yma y cafodd hi godwm yng ngwaelod allt Rhydycroesa, a hynny am nad oedd ganddi hi ddim i ddeud wrth yr un o'r ddau frêc. P'run bynnag, mi ges i ran o'r plesar a'r boen o ymgeleddu dipyn arni hi.

Doedd hi fawr o werth fel howsgipar, a dim i ddeud wrth neud bwyd. Oxo oedd ei phetha hi, a wnâi hi ddim golchi llawr na'i sgubo fo dros 'i chrogi. Gyda llaw, dwi'n meddwl mai hi ydi'r Gerda y mae Alun Jones, Llên Llŷn, yn sôn amdani yn y nofal flasus *Draw Dros y Tonnau Bach*. Dydi o ddim yn deud hynny, ond hi ydi hi, dwi'n siŵr braidd. Allan yn siarad efo'r ieir ac yn gneud y llwybra rhyfedda drwy'r winllan y bydda hi hapusa. Ac mi ddaru greu cryn gampwaith efo'i nodwydd, mi bwythodd batrwm lliwgar a chrand ar glamp o gwilt. Mi gafodd pobol y teledu afael ar hwnnw ac mi gafodd Cymru benbaladr ei weld o yn eu cartrefi. Ei roi o'n bresant i rywun o Abersoch ddaru hi. Un fel'na oedd Ann. Roedd hi'n tueddu i golli'i golwg at y pen dwaetha, ac mi beintiodd ei ffon yn wyn, 'rhag ofn i mi fynd ar draws rhywun', chadal hitha.

Roedd hi'n byw i lyfra. Roedd hi'n prynu peth wmbrath ac yn darllan dipyn go lew. Ond yn fwy na dim roedd hi wrth 'i bodd yn *sôn* am lyfra ac yn eu trafod nhw a'u mwytho nhw. Mi sgwennodd soned efo beiro ar 'i chefn yn cae ŷd, a phryddest i'r Genedlaethol na wydda'r un o'r ddau feirniad ym mha ddosbarth i'w rhoi hi.

A do, mi fuo gynni hi fusnas gwerthu llyfra. Dwi'n 'i chofio hi'n deud yr hanas.

'Isio newid ddoth drosta i pan o'n i'n forwyn yn Tŷ Mawr, Llanddeiniolen. Mi es i at y Prif Gwnstabl, 'chi, a mi boenis i ddigon arno fo nes buo raid iddo fo ildio leisans pedlar i mi. Sach, maint un cant tatws, oedd gin i a mynd o ddrws i ddrws yn G'narfon. Roedd o'n waith trwm, cofiwch, ond yn un pleserus iawn. Peth gwaetha oedd bod hen hogia gwirion yn nrws Morgan Lloyd yn chwibanu ar f'ôl i wrth i mi groesi'r Maes a fy siop ar fy nghefn. Gweld fy socs gwynion i oeddan nhw, 'chi.'

Mi driodd arholiad yr Orsedd, 'am mod i'n teimlo dyletswydd arna i neud'. Ac mi gafodd gwestiwn ar lyfr

Storïau'r Tir Coch, oedd yn ddiarth iddi. Fel hyn yr atebodd hi,

'Dydw i ddim wedi darllan hwnna eto, ond mi fydda i'n siŵr o neud munud bydd rhen gnaea gwair 'ma drosodd.'

Ia, cymeriad a hannar oedd Ann o Lŷn.

John Preis

Os od ydi hynod, a hynod ydi od, yna ma hwn yn haeddu lle yn yr oriel. Yn un peth, roedd o wedi crwydro mwy efo'i draed na ma llawar ohonon ni wedi'i grwydro efo'n ceir. Oedd, roedd gynno fo grap reit dda ar bob tre a phentra yng Nghymru, a toedd Lloegr a'r 'hen Sgotland 'na', chadal onta, ddim yn hollol ddiarth iddo fo. Ma'n debyg mai'r crwydro diddiwadd 'ma, a'r cysgu allan yma ac acw mewn tŷ gwair a sgubor a sied a thin clawdd, oedd y gwahaniaeth mwya rhwng John a'r gweddill ohonon ni. Am wn i, hefyd. Erbyn meddwl, ma 'na amal i hen drempyn sydd wedi crwydro'r wlad a'r gwledydd yn union fel fonta. Na, nid yr elfan tramp a'r ysfa grwydro sy'n gneud John Preis, o Gapal Ucha Clynnog, mor wahanol. Roedd 'na betha erill – roedd o'n wahanol i *edrach* arno fo, 'ran pryd a gwedd; roedd o'n gwisgo'n wahanol; roedd ei iaith neu'i eirfa fo'n wahanol, a'i agwedd o tuag at bobol a phetha'n wahanol, siŵr gin i. Mewn gair, ei ymarweddiad o sy'n gneud John yn gofiadwy.

Dyn bychan, sionc, yn mynd yn fân ac yn fuan a'i ben o'i flaen, a'i lygad o'n deud ei fod o'n cael ei gorddi. Top-côt soldiar amdano fo a chap ysgol gwyrdd am 'i ben o. Hen ffaga am 'i draed o yn tywydd mawr a sgidia cryfion am 'i draed o yn ystod gwres mawr yr ha. Chlywis i rioed ei fod o'n or-hoff o molchi, ond eto bydda'i wynab o'n sgleinio fel petai o newydd ei sgwrio efo sebon coch. Blaen 'i drwyn o'n goch fel radish bob amsar, ac un dant pig yn amlwg yn nhop 'i geg o ar y chwith wrth i chi'i wynebu o.

Yn Awst 1936 y gwelis i John am y tro cynta. Mynd ar fy meic ro'n i, at fy ngwaith i Bwllheli, ac mi glywis sŵn a thyngu yn yr ochor goediog sydd gyferbyn â ffarm Tanrallt, Abererch. Mi stopis, a'r peth cynta welis i oedd corun y cap ysgol gwyrdd 'ma a seran fawr felan, lachar ar 'i ganol o, a brêd o'r un lliw rownd ymyl y pig. Toc dyma'r cap i gyd a sŵn melltithio mawr i'r golwg. Dyn bychan bywiog oedd 'no, a blewiach coch tena bron â bod yn locsyn yn cuddio dwy foch fflamgoch. Y peth cynta tarodd fi oedd 'i lais o, llais clir fel cloch.

Isio matsian oedd 'i golic o ar y pryd, matsian i danio'i biball, a fel'ma gofynnodd o – 'Tyd â hen sglyfath o hen fflachan, ma gin i hen flewin.' Gofyn? medda fi, comand ydi peth fel'na, a chomand sy'n rhoi amcan go lew o sut un oedd John Preis.

Chdi ddeuda fo wrth bawb. Byth chi. A chomandio neu hawlio bob amsar. Un di-ddiolch a digywilydd fuo fo rioed. Siŵr gin i bydda fo'n credu mai dyletswydd a braint ei gyd-ddyn oedd 'i gadw a'i gynnal o, ac ella 'i fod o'n iawn. Ma pawb isio byw.

'Hen fflachan' medda fo'r tro hwnnw, a 'hen flewin'. Matsian oedd fflachan a blewin oedd baco. Oedd, mi oedd gynno fo'i iaith ei hun. 'Hen las' neu 'hen docyn baw' oedd plisman, a 'hen swerin eglws' oedd person neu weinidog mewn colar gron. 'Hen bedair olwyn bach' oedd car, a 'hen bedair olwyn fawr' oedd lyri warthaig. Nid hen yn golygu anwyldeb ond hen i fynegi atgasedd oedd hen gin John, a hen sglyfath yn amlach na pheidio.

Tra buom i yn fy mhocad yn tyrchu am fy mlwch Swan Vesta, mi roedd John wedi ista ar y clawdd o mlaen i. Roedd yn amlwg bod hwn yn tsiap oedd yn ysu am bulpud. Roedd o'n craffu'n arw ar y blwch yn fy llaw i ac yn doethinebu 'run pryd.

'Hen fflachod môr sgin ti, hen fflachod byr. Ma nhw'n well na'r sglyfaethod fflachod hirion tydyn, ma nhw'n gryfach tydyn, torri bob munud ma'r hen beth arall, te. O ia, torri bob munud. Hŵ-ŵ, taw bendith Dduw 'ti, ma'r hen beth arall rhy wan ne ma Ifan rhy gry…'

'Pwy ydi'r Ifan 'ma, d'wch?' medda finna, ar 'i draws o braidd.

' . . . ia, dyna chdi, hwnnw yn yr hen Bort 'na, heibio'r gwerin eglws, a phellach, a phellach, a phellach wedyn, ar d'union, sdi, cyn bellad â'r hen hen ffos fudur – yr hen dyrti dyic – y sdinci sur – hŵ-hŵ-hŵ.'

Mi ddechreuodd chwerthin a dal i chwerthin. Mi gipiodd y blwch Swan o'm llaw i, ac wrth fynd i ysbryd y darn mi luchiodd hannar y fflachod o'r blwch. Mi 'rafodd y chwerthin toc.

'Mi aeth o iddi, sdi – do Duw, sdi. Ifan gwelodd o, sdi . . . '

'Ifan?' medda finna.

'Ia, dyna chdi, hwnnw. Mi aeth iddi dros 'i bwcad . . . '

'Pwy, Ifan?' *(Chwerthin mawr mawr rŵan.)*

'Hŵ-hŵ-hŵ, yr hen docyn baw, yr hen fotwm gloyw mawr, y brethyn meina'n fyw.'

'Plismyn?'

'Ia, dyna chdi, yr hen docyn baw, Bobi busnas pawb.

Methu ddaru nhw bob un. O ia. Lladron traed 'u sana yn rhy sgit i'r hen docyn, raid 'ti'm peryg. Ddôth 'na docyn mwya un o Lundan, sdi. Do'n Duw, sdi. Ata i dath o gynta un – rhen beth arall wedi deud wrtho fo, raid 'ti'm peryg. Gwbod mod i'n nabod yr hen Jósephwt yn wastad ac yn fynydd roedd o, sdi, a meddwl mod i'n wirion ac yn barod i rannu efo fo. Y? Y? Y?' *(Chwerthin mawr fan yma a'r traed a'r breichia'n chwyrlïo.)*

'Hen ffalsi ffals. Dilyn ar fy ôl i, sdi, bob cam ar hyd llwybr mynydd i Aberhosan. Hen fotwm gloyw Llundan a hen beth fanw i ga'lyn o. "Rydan ni am i chi'n helpu ni, am ych bod chi'n gwbod llawar," medda fo. Hŵ, ia, a'r hen beth fanw yn hwrjo ac yn cymall y byd, y consýrn i gyd am ddeud fy stori. *(Chwerthin eto)* "Ydw, mi dwi *yn* gwbod," medda fi, "ond mod i'n cau atab ac yn bodloni ar helpu neb ond fi fy hun".'

Tawedog braidd o'n i, cymaint a fedrwn i neud oedd gwrando a thrio dallt y genlli geiria oedd yn golchi drosta i. Ond mi fentris ofyn gafodd o lonydd gan y plismyn wedyn.

'Taw, bendith Dduw 'ti,' oedd ei atab o, a phwl arall o chwerthin. 'Roedd y tocyn baw wedi gneud misdi misdi misdêc wrth ddilyn ar fy ôl i. Doeddan nhw ar goll, roedd hi'n dywyll flac arnyn nhw. Llwybr sy'n bob man ffor'na, sdi, hyd yr hen sglyfath hen fynydd 'na, a mi dwi'n nabod bob un ohonyn nhw, ond doeddan *nhw* ddim, yli. Do, mi gadewis i nhw, y ddau docyn baw, yn 'i hunfan ffwl sdop efo'r defaid. O'n i wedi-wedi-ffendio, sdi, mod i wedi ca'l llaw ucha a bod y gloywon yn yr hen hendra gofidia, doedd reit hawdd iti weld ar 'i phlât *hi*, y fanw, roedd hi'n ddŵr ar y felin ers meitin. Ac yno gadewis i nhw'n sbïo'r defaid a gwrando'r cornchwiglod a chwilio am bob un dim, am yr hen wawr a gola dydd a hen rhibins oeddan nhw'n nabod, ne-ne-ne oddan nhw'n feddwl oddan nhw'n nabod.'

Ac yn sŵn chwerthin John Preis yn clecian yn erbyn gweddillion Carrag Rimbill y daru mi weddill fy siwrna i Bwllheli y bora hwnnw.

Mi welis i lawar iawn ar John Preis yn dilyn y sgwrs ryfadd honno. Cerddad i nghwarfod i ffwl pelt bydda fo, ei ben i lawr ac yn siarad wrtho'i hun, mwmian yn fwy na siarad. Cofio taro arno fo ar y ffordd bost yn ymyl londri Afonwen unwaith yn ystod traffic trwm. John yn cerddad ar yr ochor chwithig, a finna'n trio'i berswadio fo i gerddad yr ochr arall er mwyn iddo fo wynebu'r traffic, ond roedd yr hen gyfaill yn mynnu ei fod o'n wynebu'r traffic o'i ochor o hefyd. Cytuno oedd raid, er 'i fod o'n gorfadd yn y gwelltglas a'i draed yn y lôn bost (y Jósephwt, chadal onta) pan oedd traffic Awst ar ei brysura.

'Ma'r hen beth arall yn deud bod hwn y poetha ohonyn nhw i gyd.'

'Y weiarles?' medda finna.

'Naci, yr hen beth arall.'

'Y bocs llun, debyg?'

'Ia, hwnnw hefyd, ma'r hen sglyfath moel hwnnw'n cerddad o glwydda. Does arna i mo'i angan o, sdi, dwi wedi treulio oes yn yr atmospherics.'

'Mi fyddi di'n gwrando felly?'

'Na fydda i! Yr hen beth Robaits Holyhead, hwnnw oedd y gora, te? Ydio wedi rhoi'r gora iddi? Hŵ hŵ, ydi *mae* o wedi rhoi'r gora i rodio. Mae o yn yr hen Fritish Columbia ers talwm. Dwi'n nabod tsiap sy'n dallt yr atmospherics yn Llanwrthwl, sdi. Taw, bendith Dduw 'ti.

Busnas 'i hun gynno fo mewn ploryn o gwt yn llygad yr haul. Busnas 'i hun, y? Cael gneud fel fynno fo ma Wenslas. Paid, Angladd Dduw Nef, paid, bendith Dduw 'ti, mae o wedi peri i mi alw amsar fynna i ddydd ne nos. Llond cwt o botia gweigion a rhai erill hannar llawn am gweli di, a garwdan o beipia gwydr clir main yn diferu ar y parwydydd.'

Mi dorrais i ar ei draws o a gofyn oedd y dyn yn byw ar ddarogan tywydd.

'Ia, hwnnw ydi'i waith bob dydd o, a thrwsio watsus a clocia mawr ar led ymyl. Gwranda, bendith Dduw 'ti, dwi'n gluo isio diod. Wyt ti'n meddwl bod 'na ddiod i ga'l yn yr hen sglyfath londri ddillad 'ma?'

'Ma siŵr cei di ddiod o ddŵr. Ma 'na ddigon o ddŵr mewn londri,' medda finna.

'Dŵr yfad dwi'n feddwl, 'na i un dim â'r hen sglyfath dŵr golchi, sdi, ma 'na filoedd o'r petha jyrms 'na yn yr hen gachu faw.'

'Damia chdi, John, paid â chodi pwys arna i.'

'Ia, 'na i ddim, sdi. Mi â i trw'u libart nhw at yr hen ffoes felin 'na – y Ffriw Las, y Blue Danube. Hŵ!'

'Ffriw *lwyd*, John.'

'Ia, Golden Stream.' *(Chwerthin hir a gwirion.)* ''Da i ddim ar ofyn yr hen ffatri sgwrio, sdi, mi â i i'r dŵr gwyllt sy'n uwch i fyny, yli. Ma hwnnw'n glir o'r hen jermolîns i gyd. Y? Y? Be 'ti'n ddeud?'

'Ia, peth reit gall i neud.'

'Ma 'na rwbath pin stryip o ochra Golan â'i fys yn y brwas, toes?'

'Ew, dwn i'm wir,' medda finna.

'O, oes, dydio ddim ymhell o'r twb trochion, raid 'ti'm

peryg. Fydd raid i mi ddim traffarth mynd i rydio'r afon os bydd Charles hyd y lle 'ma, sdi.'

'Y pin stryip?'

Ro'n i wedi deud rwbath oedd yn oglas John tu hwnt i bob rheswm. *(Chwerthin ceg gorad tro yma, a'r breichia a'r coesa'n symud am y gora.)*

'Taw, bendith Dduw Isral – dyn y moto dillad budron, y bedair olwyn fawr, ydi Charles. Fo sy'n codi tu pella i hen giatia, yli. Ges i nghario bob cam o Harlach i Fynydd Llanllyfni yn yr hen bedair olwyn fawr, sdi. Y? Y?'

'Lwcus iawn.'

'Taw, bendith Dduw 'ti, mi taflodd Charles fi ar ben y golchiad a chau arna i.'

'Ia, iawn, rhaid i mi fynd rŵan, John.'

'Ia, dyna chdi. Mi fydda i siŵr o ddŵad o hyd i ti ar y Jósephwt.'

⋆ ⋆ ⋆

Wrth inni gyfarfod dro arall, 'yr hen dderyn dur' oedd yn ei gynddeiriogi. Eroplên oedd hen dderyn dur, a'r adag honno roedd gan Dafydd Elis Thomas a phobol Meirion enaid reit gytûn yn John cyn bellad ag yr oedd yr adar yma yn y cwestiwn – roedd o'n eu melltithio nhw am fflio'n isal. Mi aeth i stêm cynddeiriog ar gorn un o'r rhain a ninna ar ganol sgwrsio. Gorwadd ar lawr oedd o ac yn traethu'n ddifyr ddigon am ryw hen sglyfath o hen warthaig blew hir oedd o wedi'u gweld pan oedd o'n cerddad y Jósephwt yn 'rhen Sgotland 'na'. Dyma eroplên dros 'n penna ni, yn gyrru fel melltith ac yn rhuo fel corwynt.

Roedd hi'n bur isal ac ella'i bod hi'n edrach yn is nag oedd hi i John am bod o ar ei orwadd. P'run bynnag, dyma fo ar 'i draed fel powltan a chau'i ddyrna. Rwbath fel hyn ddaeth o'i geg o wedi iddo ddŵad dros y sioc:

'Hen sglyfath hen dderyn dur, hen adar difa gythral, da i un dim ond i ddifa. Hen adar "rhein" ydyn nhw, 'te? Y? Ia, raid ti'm peryg. Hen adar y "rhein" ydyn nhw i gyd. Wedi ca'l benthig gin rhen Mericia ma rhein. Gwirion at wirion.' *(Chwerthin mawr yn fama, wedyn mynd ymlaen i athronyddu ar berthynas Lloegr a Mericia.)* 'Ew, ydyn, ma rhein wedi ca'l benthyg gin rhen Fericia, a rŵan ma'r hen beth hwnnw isio nhw'n ôl. A does gin rhein ddim i roi. Taw, bendith Dduw 'ti, does gynnyn nhw na gloywon na chochion, ma nhw wedi difa'r jobi lot ar hen adar dur. Hŵ Hŵ, ia. Hŵ Hŵ, ia...' *(Chwerthin sbeitlyd iawn yn fan'ma a'r traed bach yn ysgwyd yn ôl ac ymlaen nes crafu twll yn y ddaear o dano.)*

Sôn ydan ni, wrth reswm, am y cyfnod pan oedd o yn 'i breim ac yn crwydro'r wlad fel ewig. Roedd gynno fo'i sdesions. Dâi o ddim i bob man a wnâi o ddim siarad efo pawb, chwaith. Wir, siarada fo fawr efo neb pan fydda fo mewn tempar.

'Sudachi, John Preis?' medda gwraig fach glên o'r pentra 'cw.

'Dos yn dy flaen, bendith Dduw 'ti' – dyna gafodd hi'n atab.

Dwi'n 'i gofio fo'n galw acw am ei frecwast. Roedd o ar ei ora ac ar ei daclusa radag honno, ac yn byta reit ddel bob peth roech chi o'i flaen o. Roedd Mam wedi bod yn gweini yn ryw Blas Brynffynnon yn ymyl Llanelidan pan oedd hi'n hogan ifanc, ac o gofio am duadd grwydro John dyma hi'n gofyn iddo fo be oedd hanas ryw Ted oedd hi'n nabod yno.

'Ydach chi'n nabod Ted?' medda Mam.

'Ydw,' medda John, atab reit barchus am unwaith.

'Sut mae o, d'wch?' medda Mam wedyn.

'Wedi mynd i'r hen Fritish Columbia ers talwm,' medda John, a charlamu mlaen efo'i stori'i hun. (Ffordd John Preis o ddeud bod y dyn wedi marw oedd yr 'hen Fritish Columbia'.)

Dyma beth arall reit od yn ei hanas o: wnâi o un dim â brechdan fel eich brechdan chi a finna. Fedra fo ddim aros yr 'hen beth meddal hwnnw sy'n canol', chadal onta. Crystyn oedd o isio bob amsar. Dwi'n cofio gorfod torri dau dalcan a phedair ochor y dorth iddo fo droeon er mwyn iddo fo gael y crystia; torth soeglyd ddi-grystyn oedd ar ôl i ni. A gwaeth na hynny, mi fydda John wedi lluchio'r crystia dros ben clawdd cyn bod o olwg y tŷ 'cw.

Na, doedd dim dichon gwbod sut i'w blesio fo, y petha rhyfedda a mwya di-fudd fydda'n gneud ei dro fo. 'Ty'd a hen sglyfath o hen bastwn i mi,' medda fo wrtha i rywdro. A dyma fi'n mynd ati i neud pastwn cerddad da iddo fo, pastwn hwylus efo dwrn ar top ac amgorn bach pres am y blaen. Blesiodd o? Dim peryg. Mi taflodd o a chymryd rhyw hen bric crin da i un dim yn 'i le fo.

Mi welis, dro arall, roi bocs tun Blackcurrant and Glycerine iddo fo, un da i gadw'i faco – yr hen flewin, chadal onta. Mi gwasgodd o'n seitan dan 'i sawdl a mynnu ca'l hen beth cardbord sala welsoch chi yn 'i le.

Ia, un fel'na oedd o. Un ai roedd o'n wahanol neu mae'r gweddill ohonon ni i gyd 'run fath. Dwn i ddim, ond mi wn gymaint â hyn: roedd John Preis wedi bod cyn iachad â chneuan am flynyddoedd meithion, a hynny ar draul esgeuluso'i hun ym mhob dull a modd.

Hwyrach mai stori ryfedda'i fywyd o ydi'r un sydd ar ei garrag fedd o ym mynwant Capal Ucha Clynnog:

JOHN PRICE
Bu farw Hydref 15, 1985
yn 91 mlwydd oed

Moto-beics

Mi ddois i i gymryd diddordab mewn moto-beics yn ifanc iawn, ac mi rydw i'n siŵr braidd bod â wnelo'r ffaith ein bod ni'n byw drws nesa i'r eglwys gryn dipyn â'r cnich yma. Bob dydd Sul bydda'r iard o flaen Ty'n Llan yn how lawn o foto-beics, ac amball un arall wedi'i osod i oeri ar glawdd y fynwant.

Mae'n anodd credu fod yna 73 o ffatrïoedd yn cynhyrchu motor beicia ar Ynys Prydain yn 1922 – Lynn Hughes sy'n deud yn ei lyfr *Pendine Races*, ac mae o'n debyg o fod yn deud y gwir. Dim ond tri brid diarth oedd yn mentro i blith y cynnyrch, sef Indian, Harley-Davidson a Henderson.

Beicia gweision ffermydd oedd y rhan fwya o'r rhai y byddwn i'n gwirioni arnyn nhw ar yr iard a chlawdd y fynwant. Heb fod ymhell o borth y fynwant y byddwn i'n gweld Ariel du Tomos Owen a Triumph tanc glas gola Sam, gwas y Glyn, wrth ei gwt o. *Triumph All Over the World* oedd enw Sam ar hwn, er nad oedd o na'r un o'i feicia fo wedi mentro fawr pellach na thopia Sardis. Ond mi roedd 'na lun o'r byd mewn cylch ar ei danc o.

Mae un Wolf Robat, gwas Tyddyn Madyn Coch, wedi llwyddo i aros ar fy ngho i hefyd, efo'i danc llwyd a llun blaidd arno fo, un twt iawn 'run fath â'i berchennog.

Mewn siwt nefi blŵ a sgidia melyn a dwy glipsan am odra'i drywsus y gwelach chi Robat bob gafal. Mi lwyddodd fy mrawd a finna i droi hwn (y Wolf) ar ein cefna wrth i ni drio'i gychwyn o. Ond beidio mod i'n ffwndro? Sut na fasan ni yn capal ar nos Sul, a Nain mor benderfynol ein bod ni'n mynychu pob moddion mewn bod, o'r bregath i seiat noson waith, a ninna'n dallt y nesa peth i ddim am eu ramblo nhw? Roedd Mam yn eitha selog yn capal ond doedd hi ddim mor eithafol â Nain. Mi welis i gael pardwn amball nos Sul a seiat pan fydda hi, Nain, ar ei phythefnos gwylia yng Nghapal Ucha Clynnog efo Meri Gruffydd, gwraig y Tŷ Capal. Ella wir mai ar ryw adag fel'na y byddan ni'n busnesu efo'r moto-beics. Er, mi dwi'n cofio bod adra efo Nhad un nos Sul. Roedd o'n reit hoff o wrando ar y canu'n dŵad o'r eglwys oedd am y clawdd â'n tŷ ni. 'Tyd yma,' medda fo, 'iti ga'l clywad Twm Catris yn canu mewn pwcad.'

Pawb â'i betha ydi'n hanas ni. Nid yr un ydi diddordab pawb. Dyfeisio car oedd yn mynd â bryd Karl Benz, ac mi ddaru lwyddo ar ôl treulio oria bwygilydd yn myfyrio ac yn arbrofi mewn cwt yn nhop yr ardd. Ond roedd ei dad o, gyrrwr trên, yn methu dallt be oedd ar ei ben o a'r trêns mor hwylus.

Roedd Alic (neu Alexander, chadal ei dad pan fydda fo ar ei glenia) yn ddyn moto-beics gyda'r mwya selog. Yn y Gwyndy dros y ffordd i mi yr oedd o'n byw. Hogyn ifanc iawn o'n i pan gyrhaeddodd ei foto-beic cynta fo o garej y Ffôr, yn newydd sbon yn ei ddu a'i biws. Cotton oedd hwn, teulu dipyn yn ddiarth i bobol a phlant Eifionydd oedd wedi arfar mwy o sbel efo BSA, Raleigh, Triumph, Humber, Royal Enfield ac AJS. Beic dipyn yn sgafnach na'r rheina oedd y Cotton, ond un cyn dlysad bob dipyn a chyn gyflymad, a chyflymach na'r rhan fwya. On'toeddan nhw, y Cottons, wedi ennill enw da ac amal wobr yn rasys Ynys Manaw?

Un cyfarwydd â'r 37 milltir o gwrs rasio ar yr ynys oedd y diweddar R. J. Edwards, neu Robin Jac fel y mae Arthur Tomos yn cyfeirio ato yn ei lyfr *Y Fellten Goch*. Mae hwn yn chwip o gofiant i'r dewin o Lanuwchllyn oedd yn fistar ar drin injan a reidio moto-beic. Gobeithio y bydd Arthur yn madda i mi am ddyfynnu ohono (a phawb arall yn madda i mi am gynnwys Robin Jac o Lanuwchllyn ynghanol pobol a phetha Eifionydd!), ond anodd sobor ydi peidio a ninna'n sôn am deulu'r Cotton. Dyma bwt o hanas Robin a'r Cotton yn y Manx Grand Prix, 1934:

> Cotton Python 250 cc oedd ei feic y tro cyntaf iddo fentro ar yr Ynys. Roedd hwn yn hen feic, a bu'n gweithio'n galed iawn i'w gael yn barod ar gyfer y diwrnod mawr. Daliai i weithio am un ar ddeg o'r gloch y noson cyn y ras. Fe'i perswadiwyd gan un o'i gyfeillion i fynd i'w wely gan ei sicrhau y gofalai ef am y manion a oedd i'w cwblhau.
>
> Ar gychwyn y ras, drannoeth – ei ras gyntaf ar y cwrs – aeth popeth yn iawn i Robin. Fe ymgartrefodd yn syth ar gwrs yr oedd i ddod i'w adnabod yn dda. Erbyn diwedd y drydedd lap yr oedd Robin ar y blaen o dipyn, gyda W. D. Mitchell ar Cotton 250 (a fyddai'n ennill y ras) 57 eiliad y tu ôl iddo. Yna, trasiedi. Nogiodd y Python. Doedd dim dafn o betrol. Er mor barod ei gymorth fu'r cyfaill y noson cynt, anghofiodd dynhau'r nytan glo ar y carbiwretor . . .

Er yr anlwc a ddaeth i'w ran, roedd Robin wedi cyflawni cryn gamp trwy ddangos ei gynffon am ran helaeth o'r ras i feicia rasio drudfawr, efo beic oedd o wedi'i hel ynghyd ar frys gwyllt. Na, pluan go grand i'w rhannu rhwng Robin a'r Cotton bach brethyn cartra oedd honno, ar y cwrs rasio caletaf yn y byd, a hynny am y tro cyntaf, greda i.

Bydda darllan am gampa'r Cotton ar Ynys Manaw yn ddwbwl diddorol i mi am fy mod i wedi ista am oria yn gwylio Alic y Gwyndy yn datgymalu ei Gotton o a'i roi o'n ôl wrth ei gilydd drachefn. Chawn i neud fawr mwy na golchi'r partia budron efo brwsh paent a phetrol. Na, mi *gawn* lanhau amball blwg efo brwsh weiran. Bydda Alic, cyn ei roi yn ôl yn ei le, yn dal y plwg i fyny rhwng ei lygad a'r awyr er mwyn gneud yn siŵr bod y 'gap' yn gywir. Doedd gin i ddim dirnad beth oedd gap nes gweld Alic yn curo trwyn y plwg efo cefn ei gyllall boced. Dro arall, mi fydda'n agor chydig lleia rioed ar y gap efo llafn ei gyllall. Treuliai Alic amsar maith yn trafod y peth gap 'ma. Trwch cardyn sigarét oedd y mesur cywir i gap plwg moto-beic, medda fo.

Ro'n i, cyn bod yn ddeg oed, yn medru 'siarad moto-beics' yn eitha da, am fy mod wedi gwrando cymaint ar Alic yn bwrw drwyddi. Doedd ganddo fo fawr o feddwl o blygia Champion na Lodge – KLG, medda fo, oedd y plwg gora o ddigon am ei fod o'n tanio'n 'fwy siriol'. Y tri peth pwysica mewn injan moto-beic, yn ôl Alic, oedd magneto, plwg a teiming. Mi welis i aml i fagneto, mi fuom i'n dal sawl un ohonyn nhw yn fy llaw, ac mi sychis drwyn rhai dega o blygia, ond er imi jwlffa lot fawr, welis i ddim pwt o deiming.

Rydw i'n dal i gofio mai CC 8564 mewn paent gwyn oedd ar ddau blât y Cotton, ac mi ydw i'n dallt mai hwn ydi'r beic mwyaf diogel sydd ar y lôn, am bod Alic wedi deud ac am bod ei ffrâm o'n wahanol i bob moto-beic arall. Mae ffyn ffrâm pob Cotton yn cychwyn yn y corn gwddw ac yn cwarfod yn hafn yr echal ôl yn eu hunion, heb alw yn unman. Dyna pam na wnaiff moto-beic Cotton mo'ch gollwng chi wrth ichi ochri ar dro.

Roedd pob un o hogia moto-beic Llanystumdwy – ac mi roedd 'na docyn da ohonyn nhw – yn cytuno mai Alic Gwyndy oedd y cyflyma o ddigon dros bont y pentra bryd hynny, wrth reswm pawb, am ei fod o'n medru fforddio i ochri mwy na'r gweddill efo'u Triumph a'u Raleigh a'u Royal Enfield a'u BSA. Mi *all'sa* – ac all'sa dwi'n ddeud, cofiwch – Gwilym y Garej Goch, Pwllheli, ei guro fo ar y Tiger 90. Ond eto, go brin, achos i'r afon yr aeth o dros ei ben yn Bont Fechan.

Roedd Alic wrth ei fodd yn gneud campia moto-beic. Dwi'n cofio cryn syrcas yng Nghae Caban un Llun Diolchgarwch rhwng oedfa'r bora a'r pnawn, rywdro yn y tridega. Hogia hŷn na fi oedd y rhan fwya yno. Alic wedi rhw'mo llathan neu ddwy o gortyn, un pen wrth gariar y Cotton a'r pen arall yn nwylo Dic Rowlands oedd weithia'n sefyll ac yn ista dro arall ar y planc oedd yn cael ei dynnu tu ôl. Roedd petha'n gweithio'n rhyfeddol ar y dechra wrth ei chymryd hi'n ara deg, ond bod Dic yn mynnu basa'n haws iddo gadw'i falans ar y planc petai Alic yn agor dipyn ar y throtl. Doedd dim raid iddo fo ofyn ddwywaith. Fuo rioed y fath yrru: Dic yn gafal fel gelan yn ei gortyn ac Alic yn mynnu codi sbîd drwy bobman lle'r oedd buwch wedi codi'i chynffon. Doedd Richard Rowlands ddim yn rhy barchus yn wynebu oedfa'r pnawn.

Oedd, roedd Alic yn enwog am ei gampa moto-beic a'i oryrru. Safai Jones ei dad yn sgwrsio yn iard y Gwyndy, sydd o fewn tafliad carrag i bont y pentra, pan chwipiodd moto-beic drosti, a'r dreifar yn fflat ar ei danc.

‘Pwy oedd y ffŵl yna, Robat Thomas?’ medda Jones. ‘Mi fydd y tsiap yna wedi lladd ’i hun ne ladd rhywun arall dyddia nesa ’ma, gei di weld. ’Taswn i’n gwbod pwy ydio, fasa’n ddim gin i ddeud wrth y polîs.’

‘Alic oedd o, Mr Jones,’ medda Robat Thomas.

‘O,’ oedd ymatab y tad. ‘A mi wyt ti’n deud mai Alic oedd hwnna. Ffansi.’

Clywais Mr Jones – Robert Gough Jones, i roi iddo ei enw llawn – yn deud ei fod o’n gefndar i Gwen Gough, gwraig John Jones, Myrddin Fardd. Yn Britannia, Llanystumdwy, roedd Gwen yn byw. Rydw i’n cofio’i gweld hi yn ei gwely, cap gwyn am ei phen ac un dant yn ei cheg, a Mam yn mynd ag india-roc, o bob peth, iddi o Ffair Ŵyl Ifan. Roedd y lle yn drewi o biso cath.

Mi fydda’n hawdd iawn gin Robat Jones ofyn cymwynas gin i. Un o’r rheiny oedd danfon basgedad o wya brown i’r White Lion, Cricieth, ar y Crosville, neu ella yn y car Clyno, er nad oedd gin i fawr o feddwl o Robat Jones fel dreifar. Dal y fasged wya ar gariar y Cotton fu fy hanas i un tro, ac Alic wrth y llyw. Cariar haearn noeth oedd hwn a dim ond rowlyn bychan o sach rhyngdda i ag o, ond gwaeth lawar na hynny, doedd dim pegia ar y Cotton i mi roi fy nhraed arnyn nhw. Roedd ei dad wedi rhybuddio Alic i gymryd pwyll, ac mi gymrodd bwyll nes aeth o rownd y tro cyntaf o olwg ei dad. Agor y throtl i’r pen oedd hi wedyn, a finna’n gneud fy ngora i gadw balans. Diwadd dauddega’r ganrif ddwaetha oedd hyn, a mwy o dylla nag o wynab ar y ffyrdd. Ddaru mi ddim gofyn sawl ŵy oedd wedi brifo, ond go brin bod gwraig y White Lion wedi cael tri dwsin llawn.

Doedd Alic ddim yn hoff o blismyn. P’run bynnag,

arferai dau sbidcop lechu o dan ffenest tŷ llaeth y Gwyndy mewn gobaith o ddal goryrwyr. Rydw i'n eu gweld nhw rŵan hyn yn yr Aero Minx pen meddal, JC 2004 – mae rhif y car yn rhoi amcan go dda o'r flwyddyn. Roedd Alic wedi cael syrffad ar y rhain yn llechu o dan y ffenest a dacw'r argae yn torri, a dyna fo'n rhoi trwyn hospeip yng nghornal y ffenast oedd yn gilagorad, a rhoi holl nerth dŵr y Gwyndy ar y ddau swyddog yn y car, a dacw nhw i ffwrdd yn gyflymach nag unrhyw oryrrwr.

Yr unig gyfla, am wn i, i blentyn bach o Lanystumdwy gael gweld moto-beics yn rasio oedd ym Morfa Bychan, ar y traeth hir a chalad. Rasus Black Rock oedd pawb yn galw'r rhain. Gwilym, 4 Maen y Wern, gododd y blys arna i – roedd o gyda'r gora am roi lliw ar bob dim roedd o'n ymhél â fo. Mi fuon ni'n lwcus i gael pnawn braf. Cerddad ar hyd y lein o Gricieth ddaru ni nes cyrradd y peth oedd y rêl-wê yn ei alw'n Black Rock Halt. Wn i ddim pam na fasan ni wedi mynd ar y trên, a fedra i ddim cynnig cofio pa ffordd yr aethon ni i draeth y Greigddu ar ôl gadael y lein.

Er bod fy nhraed i'n sgaldian, mae'n siŵr gin i mod i wedi mwynhau'r rasio. Co go niwlog sydd gin i am y ras ei hun ond mi roedd yno griw o feicia bach a mawr wedi hel ar y traeth, a dau rasiwr mewn helmet henffasiwn yn sefyll allan ac yn cael mwy o sylw na'r gweddill. Emery o Landudno oedd un o'r ddau, yn ôl Gwilym. Sunbeam mawr efo enw aur ar ei danc petrol oedd ei foto-beic o. Gruffydd o Efailnewydd tu draw i Bwllheli oedd y llall, ac AJS oedd hwn yn ei reidio. Roedd Gwilym i'w weld yn nabod Gruffydd yn dda, ac yn cael ei alw fo'n Guto Bach. Roedd Guto yn ennill ar Emery Llandudno ac yn ei drechu fo bob tro yn nau ben y trac, am fod yr AJS yn llai o honglad ac am fod Guto Bach yn well reidar – ac yn nabod Gwilym Maen y Wern, ma'n siŵr!

Od ydi trefn rhagluniaeth. O fewn blynyddoedd wedyn mi ddois i nabod y Guto yma, a'i nabod yn o dda. A do, mi ddois yn berchen AJS yr un ffunud ag un Guto, ac mi fûm i'n reidio yn ôl ac ymlaen o Lanystumdwy i Abersoch unwaith efo crash helmet Guto am fy mhen. Hon oedd y feri helmet oedd am ben y glaslanc o Efailnewydd pan oedd o'n trechu'r Sunbeam rownd y polyn.

Alïc, Guto a Robin Jac – mae'r tri wedi mynd. I ble bynnag mae dyn yn mynd o fyd y mwg a'r Castrol R, mi liciwn i gael mynd i'r un fan â'r tri gwron yma, neu o leia gael mynd yn ddigon agos atyn nhw i fedru clustfeinio. Mae gin i amcan go dda i ble byddai'r sgwrs yn mynd.

* * *

Ia, AJS yr un ffunud â'r un oedd gan Guto yn rasio oedd y moto-beic cynta rioed i mi ei brynu. Mi wyddwn i fod gan Jac Williams o Gricieth AJS, er nad oeddwn i wedi'i weld yn ei reidio ers tro byd. Mi fentris alw i weld Jac yn Rhes Arvonia yn nhop Cricieth, a wir mi roedd yr AJ yno mewn cwt yn y cefn a chwrlid drosto fo. Er ei fod o'n edrach mewn cyflwr graenus roedd Jac yn pwysleisio nad oedd o'n werth y nesa peth i ddim i mi fel yr oedd o, am fod y magneto wedi treulio'i oes ac nad oedd trwsio arno fo. Ond mi gymris i ato fo ar yr olwg gynta un. Roedd o'n gwenu arna i oddi ar ei stand yn y cwt, ac yn ymbil arna i i fynd â fo efo mi. A thebyg iawn oedd teimlad Jac.

'Mae croeso iti fynd â fo os wyt ti'n meddwl medri di neud rwbath ohono fo' – fel'na deudodd o. Ond chymrwn i mohono fo am ddim, wrth reswm. P'run bynnag, mi lwyddais i fynd dros ei ben o i gymryd pumpunt. Pympio'r ddau deiar oedd y peth cynta i'w neud cyn ei dynnu oddi ar ei stand.

Mi powlis o adra i Lanystumdwy yn eitha di-lol, a bonws pleserus oedd cael mynd ar ei gefn i lawr allt Pig yr Erw, ac wedyn i lawr bob cam o Dy'n Giât heibio Tŷ Newydd a thai Maen y Wern at bont y pentra. Fy mraint i wedyn oedd cael ei godi ar ei stand yng nghoetsiws Ty'n Llan a chael sefyll wrth ei ochr i'w edmygu, a diolch iddo fo am ddisgwyl wrtha i cyhyd.

Bosib iawn mai piltran o'i gwmpas o ro'n i pan alwodd dyn siwrans, William Jones o Chwilog, heibio i nôl fy nghyfraniad wythnosol i. Mi aeth yn sgwrs moto-beics y munud hwnnw.

'Dyro dân arno fo i mi ga'l 'i glwad o'n troi,' oedd hi wedyn. 'Fedra i ddim, ma'r magneto wedi marw,' medda finna. Mi welwn i wynab William Jones yn g'leuo.

'Wyt ti'n cofio'r AJS oedd gin i cyn imi brynu'r car 'ma?'

'Ydw,' medda finna, ac mi wyddwn ei fod o newydd brynu Ford 8.

'Wel, mi falodd gêr-bocs yr hen feic yn nhop y Lôn Goed yn ymyl Garwan – ma'r magneto fel newydd efo digon o dân i ferwi teciall yn'o fo. Dos yno i' dynnu o, a dos reit fachog rhag ofn i rwbath arall roid 'i bump arno fo. Dwi isio clywad hwn yn troi pan alwa i rwsnos nesa.'

Ac yno yr es i ac arfa efo fi, llond llaw o oriada a thyrnsgriw. Golwg reit ddigalon o'n i'n gael ar yr hen feic yn swatio yn nhin clawdd. Ond mi roedd o yno, a'r magneto yn ista'n daclus ar ei bedair powltan. Codi'r beic ar ei sefyll oedd y gontract, hen gena trwm oedd o. Gwaith pum munud oedd tynnu'r 'mosgito', chadal hen fachgan

Abersoch. Y peth cynta ddaru mi wedi'i dynnu o oedd ei roi ar lawr a thro arno fo efo un llaw a gafal ym mlaen weiran y plwg efo'r llall. Mi roedd William Jones yn deud y gwir: welodd Ifan Robaits y Diwygiwr fawr iawn fwy o dân na theimlais i o fagneto William Jones Chwilog, oedd bellach yn mynd i roi bywyd yn fy AJS, CC 7557 i, beic a fu'n was ffyddlon iawn i mi ac i amal un ar fy ôl i. Mi fuo Robat Thomas, neu Robin Cae Coch, yn ei reidio fo am blwc, ac yn mynnu na fethodd o rioed danio ar y gic gynta.

Robin brynodd y Velocette gin i hefyd, y JC 2128, ac mi fydda'n cyfeirio ato fel 'fy Velo bach i'. Roedd y Velocette yn gyflymach peiriant o lawar na'r AJS ond ei fod o braidd fel plentyn wedi'i ddifetha, yn gweiddi am sylw bob munud: y falfia'n clepian neu'r 'clutch' yn galw bob yn ail mis bron.

Yn weddol gynnar yn nyddia fy moto-beicio, mi drawis ar glamp o Norton. William Jones, tad Gwenllïan a Geraint, Trefor, gwerthodd o i mi, a hynny yn afresymol o resymol, ar yr amod fy mod yn ei barchu ac yn peidio gyrru fel peth gwirion. Ddaru mi ddim chwaith, nes i ni ddŵad i ddallt ein gilydd yn drwyadl.

Nid twdlyn o 'Flying Flea' oedd hwn. Na, roedd y Norton yn bictiwr o feic mawr urddasol yn ei danc gwyn pedwar galwyn a lamp asetylin loyw addas i'w harddangos ar dresal plasdy. Ar ben bod yn eithriadol o gyflym roedd hwn yn gry, ac wrth ei fodd yn dringo'r gelltydd yn y gêr uchaf. Bu'n was ac yn gyfaill ffyddlon, a phoen i mi ydi cofio fy mod yn lled gyfrifol am ei ddiwadd a hynny yn adwy camp Penychain ar noson dywyll bitsh. Mynd ar dân fu ei dynged, a hynny oherwydd fy niofalwch i yn gadael i'r biball rybyr oedd yn cario nwy i'r lamp rwbio yn erbyn y carbiwretor. Do, mi losgodd hyd at y sbôcs. Edrach ar y goelcerth a galaru yr oeddwn i pan ddaeth dyn ffôl heibio i gydymdeimlo efo fi trwy ddeud iddi gymryd tri i losgi Penyberth, 'a dyma chdi y drws nesa i losgi hwn ar dy ben dy hun'.

★ ★ ★

Mae'n debyg bod y Garej Goch, neu Garej Bob John, neu Robt. J. Jones, Engineer, fel yr oedd hi'n cael ei galw erstalwm, yn brysur iawn yn gwerthu moto-beics yn y dauddega. Roedd gan Robt. J. Jones fusnas gwerthu moto-beics yn Efailnewydd cyn dod i Bwllheli. Fel hyn y canodd rhywun mewn papur newydd lleol:

Daw llu i'r Efailnewydd
Er garwed fyddo'r hin,
Cans yno ceir moduron
A dynion iawn i'w trin.
Fe werthir beics i filoedd
Ar hyd a lled y wlad;
A fynnwch chi fanteisio
Ar y bargeinion rhad?

Ymhen ychydig flynyddoedd wedi i mi ddod yma i Dyddyn Gwyn, Rhos-lan, i fyw y dechreuis i hel moto-beics o ddifri. Hel casgliad o rai gwahanol oedd y bwriad, ac mi welais ymhen dim mod i angan cwt mwy: roedd rhaid imi ehangu fy ysguboriau.

Doedd gin i ddim syniad ble i droi, ond mi ddaeth Gwion Roberts i'r adwy. Un garw ydi Gwion, ac un da am ddŵad â newyddion buddiol a da. Roedd o wedi cael hanas clamp o gwt oedd ar werth ym mhentra'r Pwyliaid, Penrhos. Doedd o ddim cymaint â phafiliwn y Steddfod Genedlaethol ond roedd o'n agos iawn i fod yr un maint â'r Babell Lên. Mi prynwyd o ac mi rhannwyd o'n dri: yn gwt i Gwion ar gyfar gweithdy yng Nghefn Isa, cwt i Meirion yng Nghefn Maen, a chwt anfarth i minna yma yn Nhyddyn Gwyn i gadw'r beicia os a phan y cawn i hanas rhai.

Gwaith y prynwr oedd eu datgymalu a'u cario nhw adra. Llafur hir a chalad oedd hwnnw, ond mi ddowd drosti'n rhyfeddol efo help hannar dwsin o lafna cryfion o'r pentra. Les McLelland, y cryfaf a'r addfwynaf o ddynion, cludodd nhw adra yn lori warthaig y diweddar Hywel Ellis, Rhos-lan.

Mae'r emynydd yn llygad ei le wrth sôn am 'dynnu yma i lawr a chodi draw'. Fel aml i dro arall fe ddaeth fy nghyfaill a nghymwynaswr, Stewart Jones, heibio i roi arweiniad a mesur a dethol. O gofio bod to pig y cwt mor drwm ac mor fawr, a bod rhaid iddo fo ffitio i'r fodfadd ar y muria, gwaith arbenigwr oedd ei roi o i fyny. Ac roedd Stewart wedi'i gael i orffwys fel blwch, a phob powltan gynnal yn llithro i'w thwll yn esmwyth heb orfod brisgio o fath yn y byd. Mi gawson ni drelar mawr ac uchal Richard Parry Gwindy yn gryn help. Roedd hi sbel yn haws i'r hogia godi rhannau'r to yn eu sefyll oddi ar y trelar.

P'run bynnag, mae'r hen gwt wedi atab ei ddiban i mi am yn agos i ddeugian mlynadd. Mae o wedi bod yn gyfaill triw. 'Mi fyddi'n o hir yn llenwi hwn' oedd sylw pawb y dydd y codwyd o. Tueddu i fod yn rhy lawn y mae o erbyn hyn, o feics a moto-beics. Mae'n hwyr glas i mi madael â hannar ei gynnwys o. Does yma ddim cymaint o foto-beics erbyn hyn chwaith, rydw i wedi gorfod madael â'r rhai trymion i gyd: dim ond un, Raleigh 1923, sydd ar ôl. Dyna'r un cynta i mi ei gael yn y chwedega cynnar; mi gymrodd fisoedd lawar o grwydro ac o gosta i'w gael at ei gilydd ac i droi. Mae yma ddau neu dri o betha ysgafn sy'n llawar haws eu trin efo'r glun glec 'ma sydd gin i.

Dros y ffôn y byddwn i'n cael hanas y rhan fwya o'r hen feicia, ac os na fydda'r pris yn rhy afresymol i fod at fy ffansi, mi awn i'w olwg a'i brynu o. Rydw i wedi cael amball lythyr yn hwrjo beic i mi, ac mi welais gael llythyr unwaith o Graig Fawr, Aberdaron, yn holi am gar Morris Mil, hynny ydi, isio prynu un. Roedd hwn yn llythyr i godi calon gwerthwr: doedd gŵr y Graig Fawr ddim i'w weld yn poeni gormod am gyflwr y car, ac yn barod i dalu pris da amdano. Doedd gin i ddim Morris 1000 na hyd yn oed hannar un ar y pryd. Mi rois y llythyr yn fy mhocad a dyna ddiwadd y stori. Naci chwaith. Bnawn drannoeth dyma ddyn o Fangor acw ac yn hwrjo yr union fath o gar yr oedd gŵr y Graig yn ysu i'w brynu. Mi ddaru mi drio peidio ymddangos yn rhy awyddus ond ar ôl cael golwg fanwl ar y Morris, mi prynis o.

Ar fy ffordd i ben draw Llŷn mi stopis ym Mhwllheli a galw efo dyn oedd yn gwbod am bob tŷ a thwlc yn Aberdaron a'r cyffinia. Roedd o wedi clywad am *Garreg* Fawr ond yn sicr ddigon nad oedd yno ddim *Graig* Fawr. Yn od iawn, ym Mangor yr oedd llythyr gŵr y Graig Fawr wedi'i bostio. Mi welis y gŵr drwg werthodd y Morris Mil i mi ym Mangor ymhen y mis ac mi nabodis o. Mi nabododd onta finna a diflannu o'r golwg cyn i mi gael gofyn oeddan nhw ar i fyny yn y Graig Fawr.

Mi fydda pawb call wedi dysgu gwers ar achlysur fel'na, ond syrthio i'r un trap, neu drap tebyg iawn, fu fy hanas i eto cyn pen blwyddyn. Nodyn yn hysbysebu moto-beic Scott Squirrel ar werth oedd hwn, a dyma sut y daeth o i ngafal i. Rhywun o berfeddion Llŷn (eto byth) oedd wedi anfon y nodyn i'w gyhoeddi i'r byd a'r BBC ar ocsiwn Gari Williams, ond doedd Radio Cymru ddim yn caniatáu i betha peryglus fel moto-beics gael lle ar y rhaglen. Felly, trwy ddirgel ffyrdd, mi ddaeth hanas y Sgotyn prin a gwerthfawr hwn i'm llaw i. A do, mi euthum i'w olwg mewn moto ac ar droed, er gwaetha ymdrech daer fy ngwraig yn fy narbwyllo i aros nes delai'r gwanwyn. Bora braf o Ionawr oedd hwnnw, a thipyn mwy na sgrimpan o eira ar ddaear Llŷn. Roedd y wraig ifanc yn nrws y bwthyn yn hynod falch o ngweld i. Roedd hi'n falch o weld rhywun neu rwbath, medda hi. Doedd hi ddim wedi gweld y lori laeth ers tridia. Ond gwaeth na'r cyfan, doedd hi ddim wedi gweld Scott Squirrel ers pan oedd hi'n hogan ysgol, 'ond mae 'na ormodadd o'r petha llwydion 'ma o gwmpas'.

Na, i ddifrifoli am funud, roedd 'na ddiafol bach yn llygaid hon, ac mi gefis i chwa fach o deimlad bod y faedan hirgoes yn y plot oedd wedi fy nhynnu i ar ddisberod. Na, go brin, mi gefis wahoddiad taer i fynd i'r tŷ am banad. Dês i ddim, ro'n i newydd ddarllan hanas gweinidog yr efengyl yn Sir Fôn yn rombandio rhyw ffliwtan wirion mewn londyrét a chael bai ar gam. Ildio ddaru mi, a throi am adra yn benisal ddigon.

Na, fuom i ddim mor lwcus â chael gafal ar Scott cyfan, ond mi fuom mor lwcus â chael hannar isa injan Scott, y tanc petrol a ffrâm, a hynny yng ngardd cartra Ann a Robat Rhys ym Mhorth-y-rhyd. Mae Ann yn ferch i Jac, y diweddar John Gruffydd Williams, awdur *Pigau'r Sêr*, *Maes Mihangel* a chlasuron eraill, ac ewyrth i'r gwron, Gwion, gafodd hanas y cwt i mi. Dylan Gwyn, un yr ydw inna mor falch o gael bod yn ewyrth iddo fo, ac un sydd fel finna'n ddyn moto-beic, fo a'i drelar ddaeth efo mi i gyrchu'r llwyth partia i Borth-y-rhyd.

Siwrna ddifyr oedd honno. Hannar dydd i led y big oedd hi pan ddaru ni alw yn Nhalsarn tu draw i Aberystwyth am lasiad a brechdan. Drugaradd inni alw yn fan yma a tharo ar yrrwr lori warthaig oedd yn gwbod am bob pentra a chilfach yn Nyfed. Oni bai amdano fo, mi fasan wedi drysu rhwng dau Borth-y-rhyd a chrwydro dega o filltiroedd yn ofer. P'run bynnag, mi ddaru ni gyrradd y Porth cywir a chael croeso pendefigion gan Ann a Robat, a llwyth anfarth o bartia gwerthfawr a diddorol.

Linor Roberts

Mae cofio'r lein allan o'r ddrama *Dalar Deg*, 'Dynas gron iawn ei diddordeb ydi Leusa Parri', yn gneud i mi feddwl am arian byw o wraig ffarm sy'n byw o fewn taith beic fer i mi yn Rhos-lan, lle mae cowlaid o groeso i'w gael ar unrhyw awr o ddydd hir ond iddi beidio bod yn awr ceiliog yn canu. Tua'r un ar ddeg o'r gloch y bora ydi'r amsar gora i alw ym Mryn Efail Isa. Na, gwell amsar byth ydi'r cynnar brynhawn wedi i Gwilym, gŵr Linor Roberts, ddŵad i ddisgyn i'w gadair i gadw trefn ar fwrlwm ei wraig.

Na, dydi hi ddim yn gyfrinach mod i'n edmygu Linor Bryn Efail. A pha ryfadd hynny? Mae'r hogan yn hanu o deulu'r hen flaenor doniol hwnnw, Owen Owens, Cors y Wlad, ac yn gwbod am ei gampia a'i gastia fo cystal bob dipyn â'i gofiannydd, Henry Hughes, neu'r hen Harri Huws Bryncir, chadal Nain pan fydda hi'n ein dal ni yn y pantri yn cipio brechdan rhwng pryda. 'Rydach chi'r un ffunud â'r hen Harri Huws,' medda hi, 'rwbath ar draws ych cega chi bob awr o'r dydd.' Wn i ddim oedd y dyn yn un llwglyd, ond dyna fydda Nain yn ei ddeud, ac erbyn meddwl roedd hi'n bownd o fod wedi troedio'r un llwybra â fo ar Fynydd y Cennin ac ardal Capal Ucha Clynnog.

Dyna fi'n crwydro eto, ond crwydro ydi trefn ddifyr y moddion ar aelwyd Bryn Efail bob amsar. Owen Owens arall ac un llawn mor ddiddorol â'r hen flaenor o Gors y Wlad oedd ei nai, Owen Owens, Tyddyn Graig, Dolbenmaen, hen daid Linor, oedd yn ben blaenor yng Nghapel Jeriwsalem, y Garn. Roedd o'n enwog yn yr ardal am ei ffraethinab a'i ddywediada bachog, sy'n nodweddiadol iawn hefyd o Linor Roberts.

Os digwydd i ddyn gael cawall ym Mryn Efail, y tebyg ydi mai yn tryforio ymysg hen rifynna'r *Genedl* neu'r *Herald Cymraeg* yn Archifdy Gwynedd y bydd Linor. Dro arall, mi allasa Gwilym a hitha fod ym mherfeddion Lloegar yn mwynhau'u hunain mewn sioe geffyla neu sioe hen beirianna. Does wbod, teulu crwn iawn ei ddiddordab ydi'r teulu yma, a theulu cynhyrchiol iawn mewn llawar maes. Dyna Wiliam y mab – Wil Garn, chadal pobol ifanc Caerdydd – mae o'n wastadol brysur, a'i sgrifbin yn boeth yn sgrifennu ar gyfar y llwyfan a sgrinia bach a mawr. Margiad y ferch ganol wedyn, sydd wedi gwirioni'r ifanc a'r hŷn efo *Tecwyn y Tractor* a *Does dim Llonydd* . . . a mwy. Fel Margiad ei chwaer, gwraig ffarm ydi Nerys hefyd; mae hi wedi gneud cryn enw iddi'i hun ym myd cynllunio dillada a gwnïo. Mae hi'n sgit iawn yn trin cyfrifiaduron hefyd, ac yn tynnu ar ôl ei thad yn hyn o beth.

Gyda bod chi'n rhoi clun i lawr ym Mryn Efail, bydd Linor yn arllwys cawod o gylchgrona neu lyfr diddorol i'ch breichia. Ond prin cewch chi amsar i'w snwyro nhw heb sôn am eu hagor nhw na fyddwch chi'n cael y plesar o wrando ar hanas un neu ddwy o'i theithia car neu droed diweddar hi. 'Wedi bod yn "ffagio" ydwi,' – fel'na bydd yr hogan yn deud. A wir mae ganddi hi allu arbennig iawn i ganfod mannau diddorol i ymweld â nhw. Dawn ni ddim i'ch blino chi efo'r rheiny rŵan, yn enwedig y teithi traed.

Byr iawn ydi teithia Twm Elias a Trevor Fishlock o'u cymharu â rhai Linor. Mynd beth o'r ffordd yn y car a cherddad pen dwaetha, dyna'r drefn, a dod ar draws rwbath diddorol bob gafal. Clompan o garrag fawr a thwll crwn cul yn ei chanol hi sy'n llawn dŵr o un pen i'r flwyddyn i'r llall; craig noeth yn un parad i westy yng Nghapel Curig; gwrych drain lle mae robin gochod sy'n byta briwsion o'ch llaw chi, a 'ffagio' i ben bryn Tanrallt ger Llanllyfni at weddillion cartra Mathonwy Hughes – a llawar mwy.

Oes, mae yna fywiogrwydd chwareus yn llygaid Mrs Linor Roberts hyd yn oed pan mae hi wrthi'n trafod mân brofedigaetha ei phlentyndod, ac nid y lleiaf o'r rheiny oedd gorfod edrach ar gasgliad Diolchgarwch Jeriwsalem, Garndolbenmaen, yn powlio i'r mwd – ond nid fel yna'n hollol. Stori drist ydi hi am gasgliad o ddiolchgarwch mawreddog a bag patant leddyr bregus. Bag dwy glust – Linor fach yn cydio'n dynn yn un, a'i thaid, Hugh Owen, gora medra fo, yn y llall. Hugh Owen, Tyddyn Graig, oedd trysorydd Eglwys Jeriwsalem, ac o'r herwydd yn cario cyfrifoldab aruthrol fwy. Noson ddi-leuad oedd hi, y tywyllwch yn bitsh a'r llwybr ar draws cae o'r capal yn eitha maith, ond cyrhaeddwyd y giât fochyn ar ei ben draw yn ddiffwdan. Fel y gŵyr y cyfarwydd â chiatiau moch, nid rhy hawdd un amsar ydi i berson sengl di-bac wthio trwodd. Ond dau â bag llawn o bethau bydol? Go brin.

Ia, yma y bu'r lanast. Y fechan yn rhydd yn y cae a'r Taid yn gaeth yn y ring, a chynnwys y bag, yn bunnoedd papur, yn loywon a chochion, yn llifeiriant yn y mwd. Hyd y gwyddom, does neb yn siŵr iawn beth oedd achos y ddamwain, ond hawdd iawn ydi cydymdeimlo ag unrhyw un sy'n gorfod plygu, heb sôn am lwytho bag, mewn ciât fochyn.

Treuliodd Linor, yn ferch ifanc, amsar i'w gofio ym Mhorthmadog yn gweithio yn y Coparét. Mae'n ymddangos bod yr hogan yn berwi o ddireidi yn y cyfnod yma. Wedi hynny cafodd swydd gyfrifol iawn yn gwerthu ac yn gofalu am werthu cwrw a gwinoedd yn siop y Browns. A hitha yn ei swyddfa yn y fan yma, mi drawodd ei llygaid ar ei gweinidog yn sefyll ymysg rhai o'i aelodau yr ochor arall i'r stryd yn aros am y bŷs. Bu'r demtasiwn yn ormod: lapiodd Linor botal seidar fawr mewn papur sidan gan adael y gwddw'n sbecian allan. Aeth â hi ar draws y ffordd a'i tharo ym mreichia'r gweinidog heb na gwên na gwg. Ac yn ei hôl â hi at y gwaith.

Dyma'r cyfnod y bydda hi'n rhannu bwrdd cinio efo'r Henadur Ddoctor William George a Mair Jones, sy'n fodryb i Dei, y Siop Ffrwythau, Cricieth, ac i Iolyn, Daniel a Rhian. Bu Mair a'i gŵr, Jac Williams, Rhes Arfonia gynt, yn byw wedyn yn Llys Perlysiau, Cricieth.

Mae'n rhaid bod William George sbelan dros ei bedwar ugian yr adag honno ond roedd o'n dal i weithio bob dydd yn ei swyddfa twrna, fel y gwnaeth nes bod dros ei gant. Dyma ichi damad o 'Sgyrsiau'r Ford Sgwâr', yn union fel y cofnodwyd nhw gan Linor. Mae'n amlwg fod y tri, yn ifanc a hŷn, yn mwynhau pob munud wrth y Ford.

WG: Sut ydach chi heddiw? Oes 'na rywun yn eistedd wrth eich ochor fan yna?

L: Na, neb fan yna – mae 'na un ochor arall i'r bwrdd, Miss Mair Jones o Gricieth, mi ddaw munud.

WG: Does gynnoch chi ddim gwrthwynebiad i mi ymuno â chi?

L: Na, ddim o gwbwl, croeso i chi.

WG: Ydach chi'n dod yma am eich 'lunch' bob dydd?

L: Ydw, mae'n lle reit dda . . . O, dyma Miss Jones wedi cyrraedd. Mae Dr George am ymuno â ni wrth y bwrdd yma, Mair.

WG: Gyda'ch caniatâd.

M: Mae Elinor 'ma'n un ddrwg, cofiwch, gwaith edrach ar 'i hôl hi.

L: Mae digon o waith cadw trefn arnon ni.

WG: Mwy o waith efo'r rhyw deg, wrth reswm. Felly mi gymera i y gadair. Cewch chitha fod yn ysgrifenyddes, Miss Elinor. A chitha, Miss Mair, yn drysoryddes i'r clwb. Ei enw fo fydd CLWB Y FORD SGWÂR, PORTHMADOG. Bydd cyfarfod blynyddol.

Mi fydda gwaith Linor efo'r cwrw a'r gwin yn y Browns yn destun llawar o drafod dros y Bwrdd, efo William George yn llwyrymwrthodwr digyfaddawd.

WG: Gweithio efo'r cemist ydach chi, ynte?

M: Ia, ac Elinor yn gweithio yn y lle cwrw dros y ffordd i'r Parc.

WG: Hefo'r fasnach! Dŵr, dŵr pur, rhowch i mi ddiod o ddŵr.

L: Mae'r cwrw melyn yn llesol i bawb.

WG: Gwenwyn! Dyna chi'ch dwy felly yn gweithio efo llawer math o wenwyn.

L: Ma'i hun hi yn llawar peryclach na f'un i.

M: Mae be ydw i'n ei roi dros y cowntar yn *mendio* pobol.

L: Ac mae pobol yn dŵad i brynu Gordon's Gin i ŵyn bach gwan.

WG: A'u gneud nhw'n wannach! Mi ddeuda inna fel y deudodd y dyn hwnnw pan welodd y tŷ tafarn ar dân – 'Cerdd ymlaen, nefol dân, cymer yma feddiant glân.'

L: Na, wyddoch chi be ddeudodd o'n ddistaw wrtho'i

hun? 'Mae sôn amdanoch chi mhob man, yn codi'r gwan i fyny.'

WG: Ho ho, ma'n llawar haws gen i feddwl mai taro'r gwan i'r ffos ac i'r gwtar…

M: Ac mae amal un yn dŵad acw am aspirins at gur pen ar ôl nos Ferchar yn y Red Lion a'r Ship Inn.

WG: Gwatwarus yw gwin a therfysglyd yw diod gadarn.

M: A dŵad atoch chitha byddan nhw ar ôl iddyn nhw fod yn cwffio a meddwi a thorri'r gyfraith.

WG: Debyg iawn, gweinyddu cyfiawnder ydw i wedi'i wneud ar hyd fy oes.

L: Mae'r *tri* ohonon ni'n elwa ar y fasnach felly. Mi fuo'r trafeiliwr acw bora, ac mae gen i rwbath ichi'ch dau.

Rhoddodd botal bach o Babycham ar y silff o dan y bwrdd. Teimlodd William George hi a deud, 'Dos yn fy ôl i, Satan'.

Mi barodd y seiadau wrth y Ford Sgwâr am tua phum mlynadd, er mawr ddifyrrwch i William George a'i ddwy ffrind ifanc. Yn y cyfnod hwnnw y bu wrthi'n sgwennu'i hunangofiant, *My Brother and I*. Dyna hefyd pryd y priododd Linor â Gwilym Roberts, Bryn Efail Isaf, Garndolbenmaen. Ymddiheurodd cadeirydd y Ford Sgwâr na allai dderbyn gwahoddiad i'r capal, ond mae'r Henadur i'w weld yn amlwg mewn llun o'r gwesteion yn y wledd.

John Griffith

John Griffiths sydd ar garrag ei fedd o ym mynwent newydd Llanystumdwy, er mai John Griffith y clywis i ei alw fo rioed: John Griffith Barbar, y rhan amla; John Griffith Ffotograffar dro arall, ac mi fydda rhai yn ei alw fo'n Jac Caban am ei fod o wedi byw ei ddyddia cynnar mewn tŷ o'r enw Caban ar stad y Gwfryn, Llanystumdwy, medda rhywun.

Yn ystod y dau a'r tridega ydw i'n ei gofio fo, a dyma'i gyfnod prysura onta. Prysur yn torri gwalltia gyda'r nos a Sadyrna, a phrysur yn tynnu llunia yma ac acw yng ngwlad Llŷn ac Eifionydd yn ystod y dydd, yn enwedig yn Eifionydd. A phan gâi o amball awr yn rhydd mi gwelach o wrthi'n brysur yn ei ardd. Roedd yr ardd honno reit wrth ochor y cwt torri gwalltia, yr union lecyn y codwyd Amgueddfa Lloyd George arno fo ymhen blynyddoedd wedyn. Mi glywis ddeud bod rhai 'geinia o'i lunia fo wedi'u claddu yn naear fan hyn pan oedd o'n rhoi'r gora iddi, ac amal i lun o Lloyd George a'r teulu yn eu plith.

Mi gofiwch bod cofianwyr Lloyd George yn deud fel y bydda fo'n mynd i'r efail yn Llanystumdwy, ac mai'r fan honno oedd 'senedd y pentra'. Lle llawn cyn bwysicad yn ei gyfnod oedd cwt John Griffith, a lle llawn cyn gnesad hefyd. Roedd 'na stôf fawr gron, a'i chorn peipan hi'n codi trwy'r to, yn sefyll fel soldiar reit ar ganol y llawr, un â fflap i agor efo procar ar 'i thop hi. Mi welson ni'r barbar yn gollwng amal i lond siefl-ffiar o wallt trwy hwn. A dyma chi ryfadd, os coch fydda'r gwallt, piws fydda'r fflam.

Grôt oedd o'n godi am dorri, ond dwi'n meddwl bod gynno fo delera ffeindiach ar gyfar bloc bwcing. Oedd, ma *raid* bod, achos chwecheiniog fydda mrawd yn ei roi yn llaw'r barbar am dorri'i wallt o a ngwallt inna; mi fydda Mam yn gofalu'n gyrru ni efo'n gilydd am gŷt. Pnawn Sadwrn fydda hi bob tro, ac er i ni fynd yno'n reit fachog ar ôl cinio, syndod cymint fydda wedi cael blaen arnon ni, gweision ffermydd ran amla, rhai am gŷt, rhai am shêf ac amball un yno'n un swydd i wrando ar y barbar-ffotograffydd yn mynd trwy'i betha ac yn athronyddu.

Roedd congol reit helaeth o'r cwt wedi ca'l ei neilltuo yn gwt tywyll ar gyfar 'difelopeio', chadal onta, a lwc owt os digwydda'r plant – Alun neu Idris – feiddio agor drws pan fydda'u tad nhw'n trin ei lunia. Mi fydda John Griffith yn gwerthu carbeid hefyd, roedd hon yn lein â phroffid ynddi hi, ceiniog am lond cwpan lamp beic o'r cerrig carbeid 'ma. Peth drewllyd oedd o hefyd, er rhaid deud fod ogla'r 'bay rhum' yn ei drechu o. Sdwff melyn gwan mewn potal deth 'run fath â photal finag oedd y 'bay rhum', ac mi fydda'r barbar yn cymyd llond cledar llaw o hwn a'i rwbio fo i groen pen ar ôl torri gwallt. 'Cryfhau'r gwreiddia' oedd swyddogaeth y 'bay rhum', yn ôl John Griffith. Ac mi roedd o'n prysuro'r tyfiant, dwi'n siŵr braidd: mwy o dyfu'n golygu mwy o dorri, wrth reswm, a mwy o dorri, wel, mwy o bres. P'run bynnag, roedd ogla iachus iawn ar y 'bay rhum', ac mi roedd yn dda iawn wrtho fo i ladd ogla carbeid a'r ogla llosgi gwalltia.

Ond tynnu llunia oedd prif waith a phrif ddiddordab John Griffith, ac mi dynnodd rai cannoedd ohonyn nhw. Doedd o'n colli fawr ddim, roedd o fel dyn papur newydd yn ffroeni stori cyn iddi ddigwydd bron. Doedd fawr ddwrnod yn mynd heibio nad oedd y ffotograffydd yn rhyw gongol o Eifionydd yn tynnu llun rhwbath neu rywun.

Mi welach y moto-beic – y Sun Villiers, a'r Raleigh wedi i'r Sun Villiers fachludo – yn cael ei bowlio i'r lôn o flaen y cwt, a'r camera a'r trybadd yn cael ei lwytho ar y cariar. Doedd 'no ddim cic-sdartyr ar y Sun, felly rhaid oedd gwthio'r beic i'w gychwyn o. Isda ar 'i gefn o a phadlio ffwl pelt nes cymra'r hen Haul yn 'i ben i danio. A does dim sŵn mwy gwâr yn bod na sŵn moto-beic dwy sdrôc yn tanio – mi disgrifiwyd o gan rywun fel sŵn cnocall y coed.

Doedd wbod lle gwelach chi'r ffotograffydd, y bora ym Mhorthmadog, y pnawn yng Nghapal Ucha Clynnog, a gyda'r nos yng Nghriciath, ella. Roedd gin Nhaid stori ddeudodd o ganwaith amdano fo a Nain wedi mynd i gladdu perthynas i Gapal Ucha. Roeddan nhw yn y car tu ôl i'r hers a phan oeddan nhw'n dŵad rownd y tro rwla hannar ffordd rhwng groeslon Maesog a Bwlchderwin, be wela Nhaid ond John Griffith yn neidio tu ôl i'w gamera trybedd oedd ar ben clawdd. Yn ei ffrwcs, rwsud neu'i gilydd mi sdyrbiodd y cerrig rhydd nes roedd rheiny, doman fawr ohonyn nhw, yn powlio i ganol y ffordd o dan drwyn yr hers. Gan mai Nhaid oedd y nesa at y gyflafan, fedra fo lai na mynd i lawr i glirio er mwyn i'r hers gael mynd ymlaen tua Thai Duon. A dyna ddaru o, medda fo, tynnu'i dopcot a hongian ei het galad ar dopyn dŵr yr hers a dechra clirio. 'Rhowch help i mi, John Griffith,' medda

Taid. Ond chafodd o ddim help. 'Yma fel ffotógraffyr ydw i, Elis Ŵan,' dyna gafodd o'n atab. Ia, debyg iawn, proffesiynoldeb. 'One man, one job', hwnna ydio.

Do, mi dynnodd John Griffith bob matha o lunia – cnebrwn, priodas, ocsiwn, trip, sasiwn, damwain, storm, dyrnu, 'redig, carnifal, ffair, gwanwyn, gaea, ha, yr oen cynta, y tarw tryma, heb sôn am rai 'geinia o'r peth oedd o'n alw'n 'head and shoulders' – at ei fyw, chadal onta.

Does fawr er pan oedd rhywun yn dangos llun dynnodd o o gnebrwn Eifion Wyn yn mynd trwy Lanystumdwy am Chwilog ym 1926, ac un da ydi o, ac Elwyn, hogyn bach y Post, yn torsythu o flaen yr hers.

Mi fuo fo'n rhedag lifing pictiyrs unwaith neu ddwy – rhoi'r gynulleidfa o blant i isda ym môn clawdd y lôn bost a dangos ei lunia, nid ar sgrin bwrpasol ond ar dalcan gwyngalchog tŷ o'r enw Lôn Singrig yr ochor arall i'r lôn.

Ceir

Un o'r ceir cynta i mi ei weld a'i gofio oedd 'Turner', car pen meddal Mr Griffiths, ysgolfeistr Llanystumdwy. Car digon rhyfadd oedd hwn, un tri drws ond dim drws i'r dreifar fynd i mewn ac allan ohono. Bydda'n rhaid i'r hen sgŵl fynd i'w gar trwy ddrws y teithiwr, a pheth anodd oedd hynny i ddyn cloff, ond mi gâi lwyddiant rhyfeddol wrth roi un troed ar y step, bachu ei ffon am y llyw a thynnu ei hun i'w sêt – tipyn o ddrama, a deud y gwir.

Un o Lanidloes oedd 'Gryffis', ac yn siarad braidd yn wahanol i ni yn Eifionydd. Roedd o'n rhoi cryn bwys ar y garddio – y 'Gardening'. Ista ar hen gasgan yn gwylio'r plant wrth eu gwaith y bydda fo yn y wers honno. Toc, deuai gwaedd: 'Paid â sengi ar yr ychydig "rhubarb" sydd gyda fi, yr hen benci pen papur!'

Doedd o mo'r gora am ddethol be i ddeud wrth ferchaid chwaith. Roedd gwraig o'r pentref wedi clywad bod gan Gryffis foto-car a 'self-starter' yn ei gychwyn. Mae'n debyg ei bod hi, yn y dauddega cynnar, yn llawn mwy cyfarwydd â gweld car yn cael ei gychwyn efo handlan yn ei drwyn. Fodd bynnag, un pnawn Sadwrn pan oedd y wraig yn mynd am dro, roedd y sgŵl-misdar yn ôl ei arfar yn pwyso ar y clawdd o flaen tŷ'r ysgol yn ysu am gael sgwrs efo hwn neu hon a ddôi heibio. Mi droth hi ato fo am sgwrs, ac wrth sôn am y peth yma a'r peth arall dyma hi'n digwydd gofyn, 'Be ydi'r "self-starter" 'ma, Mr Griffiths?' A'r atab gafodd hi, 'Dere gyda mi i'r garâj, fe ddangosa i iti beth yw "self-starter"!'

Morris Minor bach sgwâr fel bocs, CC 9564, oedd fy nghar cynta i. Mi prynis o am £25 yn Garej Russell, Pwllheli. Yno ro'n i'n gweithio ar y pryd. Fy nhad ddaeth yno i dalu amdano fo, yr unig dro i mi ei weld o ar gyfyl y lle, a throi ar ei sawdl wnaeth o'r tro hwnnw. Roedd yn llawar gwell ganddo fo fynd am dro i Garrag Rimbill a'i delisgop dan ei gesail, a rhythu ymhell i'r môr o'r fan honno. Ar wahân i'r Sul, gweithio chwe dwrnod yr wsnos o fora gwyn tan nos bron oedd hanas pawb yn Garej Russell. Ia, trwyn ar y maen o'r Llun i'r Sadwrn, wyth tan chwech o'r gloch ac wyth tan naw bob yn ail dwrnod, ac mi lwyddis i ddiodda'r drefn honno am bron i bedair blynadd.

Dwi'n cofio cael fy ngollwng un canol dydd Ffair Gŵyl Ifan, Cricieth. Sut cefis i'r afael yn rhydd sy bysl i mi hyd heddiw. Ac adra y dois i i weld sut le oedd ym mhentra Llanystumdwy gefn dydd gola ar ddwrnod ffair. Tua phump o'r gloch y pnawn mi alwodd Jac o'r Gwfryn yn Nhy'n Llan i weld Gwyn, fy mrawd, – doedd o ddim yn disgwyl fy ngweld i, wrth reswm. Ar wahân i'r Sul ddaru mi rioed ddangos fy nhrwyn yn y pentra yn y pnawn am bedair blynadd. P'run bynnag, mi perswadiwyd fi i fynd â'r ddau bartnar 'am reid i rwla'. Ia, 'reid i rwla' – fel'na yn union deudon nhw.

I gyfeiriad Cricieth aethon ni, a llwyddo i 'redig ein ffordd drwy filoedd ffyddloniaid y ffair. Mi aeth y Moi Bach â ni i fyny allt Caerdyni heb falio dim, er bod Gwyn yn snwyro ogla mwg. Mi gawson ni daith ddidramgwydd nes dŵad at bont Aberglaslyn. Roedd yn fan honno bedwar o ddynion yn gweithio ar y ffordd, ac er mwyn bod yn unol â thrip y Cymry, dyma fi'n dechra canu corn y Minor, a wir dyma'r pedwarawd dynion yn ymuno yn yr hwyl trwy godi rhawia a cheibia. Ond Ow ac Ow, mi nogiodd y car bach hannar ffordd i fyny'r allt o'r bont. Er bod yr injan yn troi a throi, symuda'r moto bach ddim modfadd. Mi wyddwn i'n iawn mai'r 'clutch' oedd yn llithro, ond doedd *gwbod* yn fawr o help i ddatrys y broblam.

Chwara teg i hogia'r ffordd, '"All hands" rŵan!' oedd hi, a dyma ollwng rhaw a brwsh bras a'r pedwar yn dŵad i wthio, ac mi oeddan nhw'n llwyddo nes dŵad o fewn llathan neu ddwy i'r top ac i fwg peipan glec y Morris Minor eu trechu nhw. Doedd dim amdani ond bagio i'r gwaelod i Morus gael oeri, ac yna ailwynebu'r allt trwy fagio efo dim ond y dreifar yn y car a'r ddau deithiwr yn rhoi help llaw yn ôl y galw. Fel yna, fesul hwb, cam a naid, y trechwyd yr allt.

Mae pobol yn hoff o ddeud mor dda oedd yr hen geir rhagor na'r rhai newydd. Anodd iawn ydi credu hynny. Ar ôl deud bod deunydd cyrff yr hen geir yn dew a gwydn, anodd wedyn ydi enwi llawar o'u rhinwedda. Na, mae ceir heddiw wedi datblygu ymhob cyfeiriad. Maen nhw'n llawar mwy dibynadwy ac yn llawar iawn esmwythach i deithio ynddyn nhw. Ar y llaw arall, mae'n wir deud, ar wahân i newid olwyn, mai ychydig iawn all y perchennog ei neud i wella iechyd car modern pe digwydd i hwnnw gambihafio ar ei daith.

Ddaeth dim galw arna i, diolch byth, i drin fawr fwy na cheir o'r tridega hyd y chwedega. Mi ddaru mi fwynhau'r deng mlynadd o neud mân drwsio a sgwrsio wrth y pympia petrol yn y Crown, Llanystumdwy, er i mi fynd i ddyfroedd dyfnion unwaith neu ddwy. Ffisig ceir fu'n boblogaidd iawn ar un adag oedd y Redex. Roedd y ffyrm oedd yn ei werthu yn honni bod hwn yn ymestyn oes injan car ac yn addo milltir neu ddwy yn fwy allan o bob galwyn o betrol. Roedd gin bob garej bwmp llaw bychan oedd yn gwerthu'r cyffur gwyrthiol coch am geiniog yr ergyd. Tueddai'r cwsmar i ofyn am un ergyd efo pob galwyn – 'galwyn a shot' neu 'dau alwyn a dwy', fel yna.

Un ha daeth dyn diarth heibio i mi a gofyn i mi dywallt dôs go dda o'r coch i'w injan trwy dop 'gorad y carbiwretor, ac fe wnes i hynny gan fwynhau'r profiad. Dyna lle'r oeddwn i ar bnawn braf yn agor throtl i'r pen ac yn tywallt y cochyn yr un pryd. Doeddwn i ddim wedi ystyried y canlyniad, ond fuo dyn y caffi drws nesa, oedd â'i ffenestri a'i gyrtansia gwynion o fewn dwylath i geg peipan ecsôst y car, fawr o dro yn f'atgoffa o'r mwg du oedd yn dod allan yn gymyla o'r beipan glec. Wir, roeddwn i wedi gwagio ei gaffi trwy hel ei gwsmeriaid allan i gael awyr iach. Fe'm galwyd i'n bob enw gan ŵr y caffi a thri neu bedwar o gefnogwyr brwd wrth ei gwt. Ond chwara teg i'r hen frawd, roedd o wedi madda imi, a hynny cyn i'r cyrtansia ddŵad o'r golchi.

Mi gawn fy ngoglas efo'r enwa rodda amball un ar bartia ceir, fel 'deimond' am y deinamo, 'suful water' am ddŵr batri, 'sioc asbestos' am sioc absorber, ac mi glywis un hen wàg yn cynnig 'sbidomirot' am 'speedometer'.

Tra'n sôn am 'speedometer', dwi'n cofio tsiap o Birmingham oedd ar ei wylia yn Rhos-lan yn gofyn wnawn i osod cebl 'speedometer' ar ei gar. Roedd y cebl newydd ganddo, dim ond gofyn i mi osod y peth, a hynny'n gyfoglyd o glên, yr oedd y dyn.

'A thynnu'r hen un, does bosib?' meddwn inna yn fy Saesnag crandiaf un. Roedd o'n cymryd arno gweld hynna yn ddigri tu hwnt, ac mi ddechreuodd chwerthin a chwerthin a chwerthin.

Doeddwn i'n hitio dim am y lolyn ac mi es ati i godi ei Ffordyn Pop lathan yn nes i'r awyr er mwyn dŵad drosti mor sydyn â medrwn i. Doeddwn i ddim yn teimlo'n braf iawn efo peth fel'na'n pwyso ar fy ngwynt i ac yn chwerthin yn wirion am ben pob sylw bychan a mawr a ddôi allan o ngheg i.

Mi gymrodd i mi awr helaeth i dynnu'r hen a gosod y newydd, ac mi ofynnis chwephunt am y gwaith. Ddaru o ddim chwerthin tro yma ac mi dybis mod inna wedi gofyn yn o hegar. Ond na, mi aeth bonwr Birmingham i'w glustog o sgrepan gan fy sicrhau mai pymthag punt – 'fifteen smackers' – fydda'r gost yn Birmingham, gan brysuro i gau ar ei ffortiwn. Ond cyn iddo allu llawn gau ei sgrepan daeth sgid hwch i mi oddi uchod. Yn fy ngeiria fy hun, a fy Saesnag haf hyllaf, mi fentris i hi'n debyg i hyn: 'Iff iw pê ffiffdîn in ddy whêr iw cym ffrom it, ai thinc iw pê mi ffiffdîn tŵ.' Na, dipyn bach o or-ddeud oedd hynna, ond dyna'n union y negas gafodd o. Mi ddaru fygwth mynd ohoni'n gynddeiris, chadal Wmffra Beudy Newydd, ond pan welodd o'i gymwynaswr yn sythu yn ei sgidia hoelion, tynnu'i gyrn ato ddaru o a setlo am ddeuddag punt.

Trwodd a thro roedd gin i amryw o gwsmeriaid hawdd iawn gneud efo nhw yn garej fach y Crown, ond fel ymhob man arall roedd acw un hen grystyn sych a phigog, anodd ei blesio. Mi alwodd un pen bora yn cwyno bod ogla llosgi a gwichian mawr yn y deinamo. Roedd o am i mi gael trefn arno fo tra bydda fo ym Mhwllheli am y dydd.

Doedd dim galw am arbenigwr i weld bod y deinamond hwn wedi dŵad i'w dranc. P'run bynnag, mi tynnis o'n rhydd o'r car, ac nid gwaith bychan pum munud oedd hynny. Wedyn, rhaid oedd mynd â'r clap drewllyd ar y fainc a'i ddatgymalu. Roedd ei du mewn yn un doman o lwch du ac ymhell tu draw i'w drwsio. Mi fydda pawb symol gall wedi'i newid am ddeinamo 'reconditioned' – dyna'r drefn ar y pryd – fydda'n golygu cost go fawr. Ond na, rhaid mod i'n teimlo'n glên iawn y bore hwnnw, mi gofis bod gin i frawd i hwn, un oedd yr un ffunud ond ei fod o wedi colli un o'r clustia oedd yn ei ddal o yn ei le wrth yr injan. Felly, y peth ddaru mi oedd rhoi tu mewn fy neinamo i yn nhu allan deinamo'r cwsmer, a wir mi weithiodd pob dim yn gampus a finna am y tro yn teimlo mod i wedi medru gneud cymwynas a chryn arbad arian i fy nghwsmar. Ond cwsmar tursiog iawn ddaeth oddi ar y Crosville chwech o'r gloch. Mi wenis fy ngwên gynhesaf un gan ddeud fy stori. Ddaru o ddim diolch i mi, ddaru o un dim ond gofyn wysg ei din 'oedd arno fo rwbath i mi'. 'Teirpunt,' medda fi'n reit sydyn, gan obeithio bod teirpunt yn swnio'n llai na thair punt. Pregath am ofargodi gefais i am fy nhraffarth: doedd o ddim yn wirion a toedd o ddim ar *feddwl* talu'r ffasiwn grocbris, a'r petha yna i gyd.

A deud y gwir, roeddwn i wedi fy mrifo braidd, ond ddaru mi ddim dangos fy nheimlada. Yn hytrach, mi ddeudis yn eitha clên wrtho fo mai ugian punt fydda'r gost iddo fo yn siop Joseph Lucas, a dechra bwrw ati i dynnu'r deinamo oeddwn i newydd ei osod, efo'r sbanar bach oedd gin i yn fy mhocad. Mi faswn *wedi* gneud hefyd, ac wedi rhoi'r un oedd wedi llosgi yn ôl yn ei le, oni bai i'r tursiog weld fy mod i o ddifri. Mi newidiodd ei wedd a'i agwedd, ac am un waith yn ei fywyd roedd o'n ymddangos fel dyn balch o gael talu dylad.

Mwyar Duon

Mae cerdd ddiddorol yr help gora i mi amball dro at hel meddylia. Fy hoff gerdd i yn *Mydylau* gan W. R. P. George, sydd o mlaen i munud yma, ydi 'Pobol Mwyar Duon'. Wir, mae'r teitl ei hun yn f'atgoffa i o dro bach reit ddigri ddigwyddodd yn nrws bwthyn heb fod ymhell o Bont Rhydybenllig. Y Gell ydi enw'r bwthyn, a gŵr a gwraig yn byw yno, rhai uniaith Gymraeg mae'n siŵr, a dyma ryw betha diarth yn dŵad i'r drws. Yr hen ŵr aeth yno i gychwyn. A dyma nhw'n gofyn – Saeson wrth gwrs, fel byddan nhw'n dŵad – gaethan nhw fynd i'r cae i hel mwyar duon. Yn y cyfamsar mi ddaeth yr hen wraig, Ann y Gell, i'r drws, a'r hen ŵr yn deud wrthi,

'Gofyn ma'r byddigion gân' nhw fynd i'r cae i hel mwyar duon.'

'Cân' ar bob cyfri,' medda hitha, ac wedyn yn ei Saesnag gora: 'Yes yes yes, go to hel!'

Dyma fo'r pennill sy'n rhan o'r gerdd:

> I ble'r aethon nhw i gyd, deudwch,
> Yn eu hetiau gwellt llydan coch,
> Eu sgerti llaes a'u blowsus gwynion?

Mae hwnna'n siŵr o fod yn agor drysa cof llawar o bobol mewn oed. Fel mae'r gerdd yn awgrymu, nifar go fychan o bobol ddiarth fydda'n dŵad i'r ardal bryd hynny o'i gymharu â heddiw, a'r un rhai fydda'n dŵad, at ei gilydd, bob blwyddyn. Dwi'n digwydd cofio enwa un neu ddau o'r adar diarth 'ma, yn enwedig y rhai fydda'n dŵad i bysgota yn y Ddwyfor yn ystod Gorffennaf ac Awst.

Major yn y Fyddin oedd un yn galw'i hun, Major Morris. Mi fasa Major Piwis yn llawn cystal enw iddo fo. Wedi rhentu tŷ yn rhes Maenywern roedd hwn, am dymor – roeddan nhw ar y gêm yr adag honno hefyd – ac yn cadw'i gar yn y Crown hefo mi. Cochyn fflamgoch oedd o, yn eilia, gwallt a mwstásh. Mi oedd hi'n heddwch rhyngon ni pan oedd o'n dŵad i gadw'i gar gyda'r nos a'i nôl o'n y bora, ond na, mi fydda'n ddeg o'r gloch a mwy arno fo'n symud ei hen grochan amball i fora, a fy lle gweithio inna'n gyfyng. Mi gwelis i hi'n hannar nos arno fo'n dŵad â fo i'w gadw unwaith neu ddwy, ac mi fydda cystal â deud y dylwn i fod ar fy nhraed i'w dderbyn o a chloi ar ei ôl. Mi fentris inna ddeud wrtho fynta bod petha felly wedi darfod i ga'lyn Ffwtman James a'r Closed Carriage. Mi aeth petha'n ddrwg iawn rhyngon ni, ac mi aeth petha'n waeth pan ddeudodd o y cawn i fynd i ngwely a gadael goriad iddo fo'i helpu'i hun. Dyna'r geiria. Wedi ffrae fer ond sgythrog mi wrthodis i roi goriad iddo fo, ond mi ddeudis y baswn i'n cloi bob nos am ddeg o'r gloch ac y baswn i'n gadael y goriad iddo fo yn y landar er mwyn iddo fo gael cloi ar ei ôl, a gadael y goriad yn yr un fan. Ond am na fedrwn i ddim cynnig cofio be oedd landar yn Saesnag, roedd raid i mi ddangos iddo fo lle ro'n i'n ei adael o, ac mi roedd hynny'n brifo mwy.

Roedd gin hwn be oeddan nhw'n ei alw'n feic parasiwt yng nghist ei gar. Un doniol iawn, yn plygu yn 'i hannar, oedd hwnnw. Doeddan ni ddim wedi gweld peth cyn ryfeddad cyn hynny, ond roedd Twm Morris, oedd yn digwydd bod acw ar y pryd, wedi darllan am y brid. Roedd y cochyn yn canmol y parasiwtyr i'r entrychion, ond 'i fod o'n teimlo'r sêt yn galad a hegar, ac mi gawson ddarlith arbenigol faith a sych ar sêt beisicl. 'Dydi hynny fawr o bwys,' medda Twm. 'Fydd raid i hogia'r awyr ddim ista arni'n hir os bydd y Jyrmans o gwmpas!' Petha bach fel'na sy'n dŵad i'r cof wrth hel meddylia.

Ydi, mae cerdd W. R. P. George yn sôn am y merchaid yn eu sgertia hirion a'u hetia gwellt. Cadach lliwgar fydda gin Mrs Murchie, gwraig Penrallt, am ei phen ond mi fydda ganddi hitha sgert hir, grand. Ar ei beic y bydda hi'n mynd i Gricieth, a llinynna o boptu'r olwyn ôl i gadw'r sgert grand rhag mynd i'r sbôcs. Dwi'n 'i chofio hi'n cael damwain efo'i beic wrth borth y fynwant. Doedd hi ddim yn un angheuol ond, yn od iawn, roedd y llyw wedi torri yn yr hannar fel un Gwilym Llety gynt, ond bod hwn yn bren. Cafodd Mrs Murchie ymgeledd trylwyr a pharod dros y ffordd yn y Gwyndy, ond doniol a thrist oedd ei gweld hi o bawb yn powlio'i beisicl yn ôl i Benrallt efo un hannar llyw yn 'i le a'r hannar arall yn 'i llaw.

Tom Roberts, Caffi Sdesion

Tom Roberts oedd ein dyn bara ni, a phan oeddan ni'n gwerthu petrol yn garej y Crown roedd o'n gwsmar reit dda. Roedd gynno fo fusnas oedd yn bur drwm ar betrol am ei fod o ar y ffordd bob dydd. Wel na, bob dydd ond y Sul, doedd neb angan torth ar ddydd Sul, a dyna pryd y bydda Tom yn dŵad â'r fan i'w thrwsio. Bydda'n rhaid gorffan y gwaith arni, waeth pa mor fawr, erbyn y nos er mwyn ei chael hi adra'n barod at borthi'r miloedd fora Llun.

Cymysg o ofyn ac o rybudd fydda'r bregath bob tro am naw o'r gloch y bore. 'Fedri di roi 'clutch' newydd iddi erbyn heno, deuda? Ma *raid* i mi 'chael hi'n ôl heno. Sori, na fedra i ddim aros i roi hand i ti, fi sydd ar yr organ yn Capal Wesla. Iawn, deuda?'

Roedd Tom yn organydd talentog, a chanddo fo werth miloedd o offeryn o'r Almaen yn y tŷ, un ag enw na fedra i mo'i ddeud o na'i sgwennu o. Roedd o'n sgit am biano hefyd, ac mi ddaru ddyfeisio tôn newydd (os mai dyfeisio ydi'r gair) ar gyfar rhyw gystadleuaeth yn Steddfod Pontrhydfendigaid. Un bora, bron cyn iddo fo roi'n bara ni ar y bwrdd yn y gegin acw, bu raid i Dora, y wraig, a hynny cyn wyth o'r gloch a dwy o genod yn llefain am frecwast, fynd i sefyll wrth y piano. Ia, i ganu neu i drio canu'r geiria gosodedig ar dôn Tom.

Er na fedra i ganu nodyn, teimlo y byddwn i ar adega felly un ai bod y gantrag yn cyfeiliorni'n o arw neu fod y cyfansoddwr ar ddisberod. Am ryw reswm, doedd Tom ddim yn hoff o liw piws, ac yn ddisymwth yn ystod un o'r 'renderings' dyma'r pianydd-gyfansoddwr yn troi at y gantoras oedd ar grygu ac medda fo, 'Tynnwch y ffedog biws 'na, musus, wir Dduw – ma hi'n codi cur yn 'y mhen i.'

Trwy ddirgel ffyrdd mi ddalltodd y pobydd brith fy mod i'n mynd i Steddfod Pontrhydfendigaid ar berwyl drama. Felly, doedd byw na bod na arhoswn i yno i wrando ar feirniadaeth cystadleuaeth y Dôn, a'r dyfarniad. Pe deuai – a siawns na ddeuai – fy ngorchwyl i oedd cyrchu'r wobr a dod â hi i'r Becws yn ddiogel. Digon, ond trist, ydi deud nad felly y bu.

Mair, ein merch hynaf, oedd ffefryn ein becar o blith teulu Tyddyn Gwyn am ei bod hi'n gwirioni ar y deisan liwgar a alwai o yn Christmas Log – un gyfoglyd o felys, ond un yr hoffai'r gweddill ohonon ni ei chicio rownd yr iard.

Rhag creu camargraff, rhaid brysio i ddeud bod Tom yn fachgan clyfar iawn mewn amal gyfeiriad ac yn un triw a chymwynasgar dros ben. Roedd o'n llawn edmygadd o amball un am resyma gwahanol i lawar. Hynny, mae'n bosib, am nad oedd o'n troedio'r un llwybrau. Er enghraifft, roedd ganddo barch brenin at Dafydd Iwan.

'Chwara teg i Dafydd, deuda,' medda fo wrtha i ryw fora, rhwng dwy dorth.

'Wel ia,' medda finna.

'Ew, ia,' medda Tom, a hynny'n ddiffuant ddigon. 'Rydw i'n meddwl mai "Carlo" ydi'r cân gora un. Chwara teg iddo fo am ganu i'r "prince", deuda.'

Aeth Tom yn ôl ei arfar i'r Betws Fawr a dwy dorth o dan ei gesail. Safodd yn syfrdan: hwn oedd y tro cynta iddo weld carrag goffa Robert ap Gwilym Ddu yn ei wynebu yn y porth. Ymdrechodd i ddallt y geiria oedd ar y llechan las:

ROBERT AP GWILYM DDU 1767–1850.
Trwy emyn ac englyn a charol enwogodd yr aelwyd hon

'Pwy oedd y cofi yma, d'wch?'

'Ond bobol annw'l, Tomi bach,' medda Mrs Jones, 'bardd oedd Robat ap Gwilym Ddu, a mi roedd 'na fardd da iawn arall i fyny'r Lôn Goed yn fancw, Dewi Wyn.'

'Ew,' medda Twm, 'toeddan nhw'n bob lliwia, d'wch?'

Wheldon

Teyrnged ar gyfer papur bro Y Ffynnon *oedd hon, pan fu farw Wheldon Jones ym mis Mai 2005 yn 91 oed. Fedrwn i ddim peidio'i chynnwys hi yma hefyd, er mwyn i'r hen gyfaill o Ros-lan gael sylw ehangach.*

Mae'n gynnes heddiw a'r haul yn tywynnu ar Blas Newydd, Cricieth, ond 'mae rhywbeth o'i le yn y dre'. Does yma fawr ddim i'w glywed ond sibrwd swil ambell dderyn bach. Mae'r Mansel mawr a'r moto bach wedi tewi a'r cyrn yn dal yn fud am fod y gadair wen yn wag a'r salíwt wedi diflannu. Anodd braidd ydi dygymod. Mae diwedd byw yn dod â pheltan i'w ganlyn i lawer, ond roedd Wheldon yn wahanol, ei ddiflaniad yn benbleth i liaws, ac yn lwmp yng ngwddf a deigryn yn llygaid cydnabod. Dyn da a dyn doniol oedd Jôs, dyn y chwerthiniad byr a'r dywediadau bachog.

Oedd, yr oedd Wheldon yn haeddu cael rhoi clun i lawr. Mae'n werth cofio'r myrdd milltiroedd badliodd o ar ei feic o Gae Coch, Rhos-lan, i Gricieth bob dydd gwaith am dros hanner canrif. Roedd o'n feiciwr o fri ac yn ddyn oedd yn mwynhau pob munud o'i deithiau ar y Raleigh mawr tair gêr a'r 'sgwtar', fel y galwai o'r beic dwy olwyn fach. Bron nad oedd o yn or-ofalus o'i feicia, 'bike one' a 'bike two'. Gwilym Roberts, Llanystumdwy, un o'i gyfeillion pennaf, oedd ei fecanic beic, a mynych fyddai'r alwad amdano fo.

Lawer gwaith y dywedodd Elen, ei chwaer, mor anodd oedd gwybod pa bryd y cyrhaeddai ei brawd adra o'i waith. Roedd cael sgwrs yn bwysig i Wheldon. Droeon y gwelwyd o'n cael sgwrs efo hwn a'r llall ar bont y pentref neu'n cymryd saib i sugno potel lemonêd ar y fainc o flaen y Siop Fach.

Er cymaint oedd ganddo i'w ddeud wrth feicio, peidied neb â meddwl ei fod yn ddyn peiriannau. Doedd o ddim. Gorau po bellaf oedd ei hanes hi rhwng Wheldon Jones a dyfeisiadau'r dyn modern. Dro byd yn ôl arferai dorri gwellt y lawnt o flaen y capel. Yr un pryd derbyniodd y capel rodd o beiriant torri gwellt gan Enid Williams, Llwyn, ond er ei chymell yn daer i Wheldon, ni wnâi un dim â hi. Glynu'n glos i'w bladur wnaeth o gan dorri pob blewyn glas yng nghroen y baw, ac ar y silff yn llythrennol y bu'r Qualcast.

Fel y gweddill ohonom ninnau, bu Wheldon yn ifanc unwaith a chofiwn ei weld yn hogyn mewn gwisg liwgar yn arwain criw o gryn hanner dwsin o'i gyd-actorion i lwyfan Neuadd Llanystumdwy. Drama o waith Megan Dwyfor, sef Miss Richards, Tir Bach, Rhos-lan, oedd yn byw o fewn tafliad tysan i Gae Coch, oedd hon – drama'n ymwneud â Dewi Sant.

Roedd Robat Tomos, brawd Wheldon, yn un sgut am fargen. Cofiaf ffeirio fy mocs paent Reeves efo fo am gylch a bachyn o waith Robert Jones, Rhos-lan (nid y Drych ond y gof). Ffair benben oedd hon i fod. Roedd Wheldon yno fel canolwr a mynnai bod ei frawd yn rhoi cyfraniad bychan i mi ar ben y cylch am fod hwnnw'n beth mor ddi-liw o'i gymharu â bocs paent. Ac felly y bu. Cafodd brawd arall, Emlyn, ei ladd yn rhyfal 1939–45.

Treuliodd Wheldon 55 mlynedd fel garddwr yng Ngarth Celyn, Cricieth, gyda'r diweddar Dr William George a'i fab, Dr W. R. P. George, a gwyddom iddo fod yn hynod hapus yno. Cafodd ofal arbennig gan Mrs Gretta Jones ar hyd y blynyddoedd. Yn wir ystyriai Garth Celyn fel ei ail gartref. Pleser iddo oedd gweld y plant yn tyfu i fyny a hwythau'n uchel iawn eu parch tuag at Wheldon. Dywed Philip mai unwaith erioed y cofiai weld Wheldon wedi gwylltio, a hynny pan oeddent yn blant wedi dringo i ben un o'r coed afalau a thynnu'r afalau cyn iddynt aeddfedu.

Mân Bethau Hwylus

Y 'mân bethau' sy'n dŵad i'r co amlaf wrth i ddyn nesáu at ei bedwar ugian a phump, petha digon digyswllt yn amal iawn. Rhaid taro'r rhein i lawr ar ddu a gwyn y munud maen nhw'n dŵad heibio, rhag ofn na ddaw ail gyfla. Dyma rai ohonyn nhw, yn nhrefn y galw. 'Assorted cymysg,' chadal Elin Jones, Siop Highgate, erstalwm.

Wil Williams, saer coed ar stad y Gwfryn, ddeudodd y stori fach yma wrth Stewart Jones, a Stewart yn ei deud hi wrtha inna. Stori am Richard Huws, un arall o staff y Gwfryn ydi hi, ac un sydd yn deud cryn dipyn am gymeriad yr hen fachgan piau hi. Roedd Richard Huws yn y tŷ gwydr efo'i gyfaill, Owen Thomas Owen, ac yn methu byw yn ei groen am fod Miss Lewis o'r plas yn hir yn dod i ddeud pa hada i'w rhoi i lawr. Roedd hi ddyddia yn hwyrach na'i harfar a Richard yn mynd yn wir bryderus. Mi perswadiwyd o gan Owen Thomas i anfon nodyn i'r Plas, a dyma fo: 'Please come to the green house. I want you very much.'

Mi ddaru mi ddigwydd taro ar Richard Huws droeon yn cerddad adra o'i waith yn ymyl Rhydycroesau, filltir o'i gartra, ac mi fyddwn yn cynnig ei godi o i'r car. Gwrthod wnâi o bron bob tro trwy ysgwyd ei ben a deud dim, ond mi ddaeth i'r car un waith ar noson braf ym mis Awst. Tawedog iawn oedd o, ond fel roeddwn i'n plygu i agor y drws iddo fo gael mynd i lawr, dyma fo'n bloeddio o fewn modfadd i nhrwyn i: 'Pregethwrs yn lwcus leni. Dolig ar ddy' Sul.'

Rydw i'n edmygydd o bobol sydd â stôr o straeon am hwn a'r llall. Ma gin i gyfaill, Richard Parry o'r Garn gynt, sy'n berchan amal un, ac mae o'n medru'u deud nhw. Nid pawb sy'n medru.

Mae plismyn Garndolbenmaen wedi bod yn rhai enwog erioed am eu campa a'u castia. Roedd un ohonyn nhw, amsar go faith yn ôl erbyn hyn, yn un garw am ei gwrw, a hynny ar bob awr o'r dydd. Wir, roedd o wedi cael cast o ymuno â'i gymdogion yn y Cross Peips – naci, Foxes – yn y pnawnia. Daeth yr hanas i glustia'i feistr, sef y Siwper Eames, Pwllheli. Ac yno yr aeth y Siwper ar y brafiaf o bnawnia a sarjant yn dyst a chwmni. Ond cawall gafodd y ddau, os cawall hefyd. Oedd, yr oedd yn y Cross gyfeddach gref a chymysg o denor a bas. Ar ymddangosiad y ddeuddyn polîs, tawodd y cantata instantli ac fe argyhoeddwyd y Siwper yn y Bar a'r bwrlwm gan arweinydd y gân fod ei blisman – un dirwestol iawn ei naws – ar wsnos o holides haeddiannol gyda chyfyrdar yn ochra Cwm-twrch Uchaf. Nid oedd y Siwper yn un am dorri cnau gweigion. Bu iddo gael gafael ar y PC yn ei libart ymhen wsnos neu ddwy, a bu hir holi ar y Gwron Glas o'r Garn, holi go galad yn ôl y sôn. Pa sut, pa fodd a phaham? Cafodd y Siwper glasur o atab gan ei gwnstabl: 'Fel'na ma nhw, Syr, yn diota, diota, diota *munud* ma nhw'n ca'l 'y nghefn i.'

Tegla Davies sy'n sôn yn un o'i lyfra am ryw ddyn yn

darllan y bennod am Nicodemus, a dyma fersiwn yr hen gradur duwiol ddigon: 'Ac yr oedd rhyw ŵr yn rhodio liw nos a'i enw Nico Tomos.' Mi liciwn i feddwl mai awdur *Hunangofiant Tomi* a'r *Doctor Bach* a neb arall pia hwnna.

Dyma aelod arall a gafodd sgid hwch eitha smala mewn seiat noson waith. Un o Eifionydd oedd hwn, gŵr agos iawn i'w le, ond un a fynna ddeud yr un adnod ym mhob seiat: 'Y nefoedd sydd yn datgan gogoniant Duw, a'r ffurfafen sydd yn mynegi gwaith ei ddwylaw Ef.'

'Ia,' medda'r gweinidog, 'diolch i chi am honna heno eto, Robat Jôs. Rydach chi wedi rhoi i ni farddoniaeth felys mewn un adnod.' A Robat yn nodio'n ddeallus iawn.

'Ond deudwch i mi, sut basa chi'n disgrifio'r ffurfafen 'ma, Robat Jôs?'

Ac medda Robat, ar ôl meddwl yn galad, 'Fel ffôrm i apelio am leisans ci, ddalia i.'

Dyn busnas uchal ei barch a pharod ei gymwynas oedd Eric Owen. Mae llawar ohonon ni'n cael anhawstar efo'r llythyran 'r', ond y llythyran 'll' oedd yn peri dryswch i Mr Owen. Wrth ddarllan yr adnod 'Pa lesâd i ddyn os ennill efe yr holl fyd a cholli ei enaid ei hun', *cosi* ei enaid wnaeth o mewn amal i Ysgol Sul.

Pan o'n i'n hogyn pymthag oed yn mynd i nôl llaeth i Dy'n Ddôl, ffarm yn Llanystumdwy, daeth Eric Owen heibio yn ei gar sglein, Morris 10, JC 1645. Mi stopiodd, chwara teg iddo fo, a'm hannog i ddŵad efo fo i ardal Rhos-lan, yn gwmni iddo fo ar ei daith gwerthu blawdia. Mi ddeudis inna mod i ar fy ffordd i nôl llaeth.

'Na,' medda fonta, 'mi geith y saes aros, dowch efo mi, Master William.' A mynd ddaru mi.

Mi glywis amdano fo'n cymall ei flawdia i wraig ffarm

yng nghyffinia Garndolbenmaen. Roedd petha'n mynd yn dda, a blawd yr ieir wedi'i werthu. Wir, roedd ei gynnyrch yn symud yn rhyfeddol nes iddo ddod at y peilliad, ac fel yma, â'i benelin ar y bwrdd a'i bensal yn ei law, yr hwrjodd o ei flawd peilliad, 'Ydach chi'n iawn am bishiad, Musus Williams?'

Mi gofia i'n hir am y bora hwnnw y gwelson ni fwg mawr yn codi o do capal Moreia, Llanystumdwy. Oedd, roedd o ar dân, ac mi losgodd yn llwch. Mae 'na lun reit dda o'r digwyddiad hwnnw ar un o furia Tafarn y Plu, ymhlith llaweroedd o lunia da sy'n rhoi pentra Llanystumdwy ar gof a chadw i'r oesoedd a ddêl. Mae'n werth troi mewn i gael golwg arnyn nhw. John Griffith, y barbar-ffotograffydd, gyda llaw, iddo fo mae'r diolch am y rheina.

Ond petha diniwad ddigon, y briwsion, sy'n goglas dyn, yn enwedig wrth iddyn nhw alw heibio'n ddirybudd ar amball i awr ddwys. O sôn am ddwyster, anghofia i byth mo'r tro yr anfonwyd fi i gynhebrwng ym mherfeddion Llŷn, yn hen hogyn gwirion dwy ar bymthag oed, a hynny yn siwt nefi blŵ henffasiwn mistar y garej lle'r oeddwn i'n brentis llawar rhy hir ei goes i'r siwt. Doeddwn i ddim yn un o'r galarwyr, sioffar diduedd i berthynas pell y trancedig o'n i, ond mi fynna hwnnw nghymryd i i'r tŷ yn gefn iddo fo. Euthum! Yno'r oeddan ni yn ddeunaw mud mewn parlwr clos a bychan, yn syllu ar draed ein gilydd ac yn aros am y Parchedig, oedd wedi methu ceg y lôn yng nghroeslon Anelog, medda rhywun. Mi gododd gwraig heffti i'r gwron gael soffa. A dyna ni'n ôl yn y distawrwydd llethol yn gwrando ar dipiada'r cloc, pan ddaeth gwraig ganol oed i'r golwg yn ei duaf gan sibrwd yn uchal yng nghlust y Parchedig llesg, 'Fasach chi'n licio Vimto, Mr Watkins?' Ia, llacio'r tensiynau, hwnna ydio.

Anodd braidd ydi peidio gwenu wrth gofio'r gweinidog ifanc hwnnw yn gneud sylw fel hyn wrth weddïo yn y fynwant yng nghynhebrwng dyn a fu farw'n sydyn ryw ben bore. 'Do, mi galwaist di o cyn iddo fo gael byta'i frecwast.'

A thra byddwn ni yn y fynwant, dyma fi'n cofio'r peth ddeudodd cyfaill o athro ysgol wrtha i. Roedd 'no hogyn bach o'i ddosbarth o'n hwyr yn cyrradd y sesiwn pnawn am 'i fod o wedi sefyllian i wylio cnebrwn. 'Wedi bod yn sbïo ar *van* fynwant ydw i, syr.'

Perthyn reit agos i'r hogyn bach yna oedd yr hogan ddeudodd yr adnod yma, 'Ie, pe cyweiriwn fy ngwely yn uffern, wela i di yno.'

Da y cofia i'r diweddar hoffus Dr O. Lewis Jones, Cricieth, yn darllan Salm 23 yn angladd cymydog i mi. Fel yma y darllenodd o'r bedwaradd adnod: 'Ie, pe rhodiwn ar hyd glyn cysgod angau, nid ofnaf newid.' Ac yn wir roedd o, siŵr gin i, yn un o'r rhai nad oedd alw am iddo fo ofni dim.

Mi fyddwn i wrth fy modd pan fydda fo'n galw i weld Nain, oedd yn ei gwely oherwydd henaint yn fwy na dim arall. Mi fydda'n galw'n bur amal, ac yn deud yr un geiria'n union bob tro ar droed y grisia, 'Gwell o lawar, gwell o lawar!' Mi ddeudodd beth digon rhyfadd wrtha i ar yr iard un mis Awst braf. 'Mae hi'n braf, mae hi'n braf iawn,' medda fo, 'mae hi fel diwrnod o haf.'

Ia, y 'mân bethau' ydi'r rhain i gyd – y petha bychan bach sy'n galw yn eu tro wrth i ni hel meddylia 'mewn penstiff mediteshion', chadal yr hen gyfaill, John Elwyn Hughes o Borthmadog erstalwm.

Mae amball i ddeud bychan bychan bach disylw yn plesio weithia, yn enwedig os bydd dyn yn teimlo dipyn yn isal. Deg oed cwta oedd yr hogyn bach pan gymrodd o yn ei ben i droi mewn i ngweithdy i, oedd drws nesa i'r ysgol. Y cyfan ddaru o oedd cydio mewn morthwyl, ei godi o hyd braich uwch ei ben a tharo'r fainc nes oedd mân arfa yn codi bownd, a deud braidd yn or-ddramatig, 'Segur fydd y cŷn a'r morthwyl mwyn.'

Yr un hogyn ddeudodd, ar ôl rhoi gwynt yn nheiar ei feic efo'r compressor mawr, 'Ew, mi fydd 'na fynd rŵan efo gwynt moto.'

Weithia daw amball stori â deigryn i lygad dyn calon feddal. Dyna honno am yr hen fachgan pedwar ugian hwnnw oedd yn mudo o'i dyddyn i dŷ rhes, a hynny efo tractor a threlar – yr hen fachgan yn ista ar soffa yn y trelar gan bwyso ar ei ffon a'r ci wrth ei draed, a'r ddau yn edrach yn ôl ar yr hen gartra.

Wn i ddim ydio'n beth iach edrach yn ôl o hyd ac o hyd, ond eto mae'n reit naturiol bod hen bobol yn gneud hynny, o gofio'u bod nhw wedi bod yma mor hir. Na, i'r rhai dros bedwar ugian, dwi'n siŵr braidd bod 'na fwy o blesar i'w gael wrth edrach yn ôl nag sydd 'na o banic wrth edrach ymlaen.

Feri sad, chadal Mr Picton.